Para Suzy Gonzales

YO ESTUVE AQUÍ

Gayle Forman

YO ESTUVE AQUÍ

Argentina – Chile – Colombia – España
Estados Unidos – México – Perú – Uruguay – Venezuela

Título original: *I Was Here*
Editor original: Viking, Published by the Penguin Group (USA) LLC, New York
Traducción: Camila Batlles Vinn

1ª edición Noviembre 2015

«Fireflies» performed by Bishop Allen, used with permission from Justin Rice and Christian Rudder courtesy of Superhyper/ASCAP
«Firefly» performed by Heavens to Betsy, used with permission from Corin Tucker courtesy of Red Self Music/ASCAP.

Aribau, 142, pral. – 08036 Barcelona
www.mundopuck.com

ISBN: 978-84-96886-47-6
E-ISBN: 978-84-9944-924-1
Depósito legal: B-19.545-2015

Fotocomposición: Ediciones Urano, S.A.U.
Impreso por: Rodesa, S.A. – Polígono Industrial San Miguel
Parcelas E7-E8 – 31132 Villatuerta (Navarra)

Impreso en España – *Printed in Spain*

1

El día siguiente a la muerte de Meg, recibí esta carta:

> Lamento comunicarte que me he quitado la vida. Tomé esta decisión hace tiempo, y la tomé yo sola. Sé que te causará un gran dolor, y lo lamento, pero te pido que comprendas que necesitaba poner fin a mi dolor. Esto no tiene nada que ver contigo, sino únicamente conmigo. Tú no tienes la culpa.
> Meg

Meg envió por correo electrónico copias de esta carta a sus padres y a mí, y también al Departamento de Policía de Tacoma, junto con otra nota informándoles del motel en el que se alojaba, la habitación en la que se hallaba, el veneno que había ingerido, y cómo debían manipular de forma segura su cadáver. Sobre la almohada de la habitación del motel había otra nota —indicando a la camarera que llamara a la policía y que no tocara su cuerpo—, junto con una propina de cincuenta dólares.

Programó el envío de los correos electrónicos con retardo, para que ella ya hubiera muerto cuando los recibiéramos.

Como es natural, yo no supe nada de eso hasta más tarde. De ahí que cuando leí por primera vez el correo electrónico de Meg en el ordenador de la biblioteca pública de nuestra ciudad, pensé que era una broma. Una broma pesada. Llamé a Meg, y en vista de que no respondía, llamé a sus padres.

—¿Habéis recibido el correo electrónico de Meg? —les pregunté.

—¿Qué correo electrónico?

2

Hay funerales. Y vigilias. Y círculos de oración. A veces cuesta distinguir unos de otros. En las vigilias, sostienes velas, pero a veces también lo haces en los círculos de oración. En los funerales, la gente conversa, pero ¿qué puedes decir?

Era terrible que Meg hubiera muerto. Que se hubiera suicidado. La habría matado yo por someterme a todo esto.

—¿Estás lista, Cody? —me pregunta Tricia.

Es un jueves por la tarde, a última hora, y vamos a asistir a la quinta ceremonia que se celebra este mes. Creo que es una vigilia con velas.

Salgo de mi dormitorio. Mi madre se sube la cremallera del vestido de cóctel negro que se compró en Goodwill, la tienda de beneficiencia, después de la muerte de Meg. Se lo ha puesto para asistir al funeral y a los oficios religiosos, pero estoy segura de que cuando esto haya pasado, lo utilizará para ir de fiesta. Está muy atractiva con él. Como a mucha gente en esta ciudad, el luto le sienta bien.

—¿Aún no te has vestido? —me pregunta.

—Mis conjuntos más bonitos están sucios.

—¿Qué conjuntos más bonitos?

—Vale, todos mis conjuntos vagamente fúnebres están sucios.

—Eso nunca te ha importado.

Mi madre y yo nos miramos cabreadas. Cuando cumplí ocho años, Tricia declaró que ya era lo bastante mayor para hacer mi colada. Odio hacer la colada. Ya puedes imaginarte cómo acaba todo esto.

—No entiendo por qué tenemos que ir a otra ceremonia —digo.

—Porque la gente tiene que elaborar el duelo.

—El queso hay que elaborarlo. Lo que la gente tiene que hacer es buscarse otro drama con el que distraerse.

Nuestra ciudad tiene mil quinientos setenta y cuatro habitantes, según reza el desteñido letrero en la autopista. «Mil quinientos setenta y tres —dijo Meg cuando en otoño pasado se escapó para estudiar en la universidad en Tacoma con una beca—. Mil quinientos setenta y dos cuando te vengas a Seattle y nos instalemos en un apartamento», añadió.

Ahora ha quedado en mil quinientos setenta y tres, y sospecho que se quedará así hasta que muera o nazca otra persona. La mayoría de la gente no se va nunca de aquí. Incluso cuando Tammy Henthoff y Matt Parner abandonaron a sus respectivos cónyuges para fugarse juntos —el notición del que todo el mundo hablaba antes del suicidio de Meg—, se trasladaron a un campin de autocaravanas en las afueras de la ciudad.

—¿Es necesario que yo vaya? —No sé por qué me molesto en preguntarlo. Tricia es mi madre, pero no una autoridad en esa materia. Sé que tengo que ir, y sé por qué. Por Joe y por Sue.

Son los padres de Meg. Es decir, lo eran. Siempre me confundo con los tiempos verbales. ¿Deja uno de ser el padre o la madre de alguien porque esa persona haya muerto? ¿Porque haya muerto aposta?

Joe y Sue están destrozados por el dolor; sus ojeras son tan pronunciadas que no creo que desaparezcan nunca. Y es por ellos que saco mi vestido menos apestoso y me lo pongo. Dispuesta a cantar. Otra vez.

Gracia sublime. Qué Infame Sonido.*

* *Amazing Grace* es un himno cristiano que dice: «Gracia sublime, qué dulce sonido…» *(N. de la T.)*

3

He escrito una docena de panegíricos mentales para Meg, imaginando todas las cosas que podría decir de ella. De cómo nos conocimos durante la primera semana en la guardería, del dibujo que me hizo de nosotras, con los nombres de las dos, y unas palabras que no comprendí porque, a diferencia de ella, aún no sabía leer ni escribir. «Dice "mejores amigas"», me explicó. Y como todas las cosas que Meg deseaba o predecía, resultó ser verdad. Quizás hable de ese dibujo, que todavía conservo. Está en una caja de herramientas metálica en la que guardo todas mis cosas más importantes; está arrugado debido al paso del tiempo y las veces que lo he mirado.

O podría hablar de la habilidad que tenía Meg de saber cosas sobre las personas que ellas mismas desconocían. Sabía el número exacto de veces seguidas que solemos estornudar; al parecer, obedece a un patrón. Yo tres; Scottie y Sue cuatro; Joe dos; Meg cinco. También recordaba lo que llevabas puesto en todas las fotografías que te hacías en cada Halloween. Meg era como el archivo de mi historia. Y su creadora, porque casi todas las fiestas de Halloween las pasaba con ella, por lo general vestida con un disfraz que ella se había inventado.

O podría hablar de su obsesión por las canciones sobre luciérnagas. Empezó en tercero de secundaria, cuando compró un *single* de vinilo de una banda llamada Heavens to Betsy. Me llevó a su habitación y puso el disco rayado en un viejo tocadiscos que había comprado por un dólar en una subasta organizada por la iglesia, y que había reparado ella misma con ayuda de unos vídeos tutoriales de YouTube. *Nunca sabrás lo que se siente al iluminar el cielo. Nunca sabrás lo que se siente al ser una luciérnaga,* cantaba Corin Tucker con una voz tan potente y vulnerable a la vez que parecía casi sobrenatural.

Después del descubrimiento de Heavens to Betsy, Meg se propuso localizar todas las buenas canciones sobre luciérnagas que se habían compuesto. Como era previsible en ella, a las pocas semanas había reunido una exhaustiva lista. «¿Has visto alguna vez una luciérnaga?», le pregunté mientras confeccionaba su lista de canciones.

Yo sabía que no. Al igual que yo, Meg no había pasado del este de las Montañas Rocosas. «Tengo tiempo», respondió, abriendo los brazos para demostrar cuánta vida había ahí fuera, esperándola.

Joe y Sue me pidieron que pronunciara unas palabras durante el primer oficio religioso, el más importante, que debía celebrarse en la iglesia católica a la que asistían los García desde hacía tiempo, pero no pudo ser, porque el padre Grady, aunque era amigo de la familia, era un hombre que acataba las normas a pies juntillas. Dijo a los García que Meg había cometido un pecado mortal y que su alma no sería admitida en el cielo, ni su cuerpo en un cementerio católico.

Eso es en teoría. La policía tardó bastante tiempo en entregar el cadáver a la familia. Al parecer, el veneno que Meg había ingerido era muy raro, aunque a nadie que la conociera le habría sorprendido ese detalle. Meg no llevaba nunca ropa comprada en unos grandes almacenes, siempre escuchaba a bandas musicales de las que nadie había oído hablar. Como es natural, decidió ingerir un veneno rarísimo.

Por tanto, el ataúd sobre el que todo el mundo lloró durante ese primer e importante funeral estaba vacío, y no hubo un entierro. Oí al tío de Meg, Xavier, comentar a su novia que quizá sería mejor que no hubiera un entierro. Nadie sabía qué escribir en la lápida. «Todo suena como un reproche», dijo.

Yo traté de escribir un panegírico para el funeral. Saqué el disco de canciones sobre luciérnagas que Meg había escuchado hasta la saciedad para inspirarme. El tercer tema era uno de Bishop Allen titulado «Luciérnagas». No sé si yo había escuchado realmente la letra antes, porque cuando lo hice ahora, fue como si Meg me propinara un bofetón desde la tumba: *Dice que todavía puedes perdonarla. Y que ella te perdonará a ti.*

Pero no sé si puedo hacerlo. Y no sé si ella lo hizo.

Dije a Joe y a Sue que lo sentía, pero que no podía pronunciar un panegírico porque no sabía qué decir.

Era la primera vez que les mentía.

La ceremonia de hoy va a celebrarse en el Club Rotario, de modo que no es uno de los oficios religiosos oficiales, aunque al parecer el orador es un reverendo. No sé de dónde han salido todos esos oradores, porque en realidad no conocían a Meg. Después de la ceremonia, Sue me ha invitado a otra recepción en su casa.

Yo pasaba tanto tiempo en casa de Meg que sabía de qué humor estaba Sue según el olor que percibía al entrar. Mantequilla indicaba que había preparado algo en el horno, lo cual significaba que estaba tristona y necesitaba que la animaran. Un olor picante indicaba que estaba contenta y había preparado comida mexicana para Joe, aunque a ella le hacía daño al estómago. Palomitas significaba que estaba acostada en la cama, a oscuras, que no iba a cocinar, y que Meg y Scottie tenían que arreglárselas solos, lo que significaba un bufé de bocaditos calentados en el microondas. En esas ocasiones, Joe bromeaba comentando la suerte que teníamos Meg, Scottie y yo de poder darnos un atracón de cosas que nos gustaban mientras él subía a ver cómo estaba Sue. Nosotros le seguíamos el juego, pero por lo general, después de la segunda o tercera salchicha envuelta en masa de pan y calentada al microondas, te entraban ganas de vomitar.

Conozco a los García tan bien que, cuando les llamé la mañana que recibí el correo electrónico de Meg, sabía que, aunque eran las once de un sábado, Sue estaría aún en la cama, pero despierta; decía que nunca había podido seguir durmiendo cuando sus hijos dejaron de despertarla temprano. Y Joe habría preparado café y habría desplegado el periódico matutino en la mesa de la cocina. Scottie estaría mirando dibujos animados en la televisión. Una de las numerosas cosas que me gustaban de la casa de Meg era la regularidad. Tan distinta de la mía, donde Tricia no solía levantarse nunca antes del mediodía, y algunos días la encontrabas en la cocina preparando los tazones de cereales, y otros no la encontrabas en ningún sitio.

Pero ahora se ha impuesto otro tipo de regularidad en casa de los García, mucho menos atrayente. No obstante, cuando Sue me invita a ir, por más que preferiría rechazar su invitación, no lo hago.

El número de coches aparcados frente a la casa es más reducido que los primeros días, cuando toda la ciudad acudió a ofrecer sus condolencias llevando fuentes de Pyrex con comida. Era un poco duro aceptar esos platos que habían preparado los vecinos junto con la frase de rigor, «os acompaño en el sentimiento». Porque por toda la ciudad, los chismorreos proliferaban. «No me ha sorprendido. Esa chica siempre fue un bicho raro», oía yo murmurar a la gente en K Circle. Meg y yo sabíamos que algunas personas decían ese tipo de cosas sobre ella —en nuestra ciudad ella era como una rosa que crece en el desierto: confundía a la gente—, pero con su muerte ese sentimiento dejó de parecer una virtud.

Y no iban sólo a por Meg. En el bar donde trabaja Tricia, oí a un par de cotillas de la ciudad criticando a Sue. «Como madre, yo sabría si mi hija tenía tendencias suicidas.» Esto dicho por la madre de Carrie Tarkington, que se había acostado con la mitad del colegio. Estuve a punto de preguntar a la señora Tarkington si, ya que lo sabía todo, también estaba enterada de *eso*. Pero en ese momento su amiga respondió. «¿Sue? ¿Estás de broma? Esa mujer está casi siempre flotando en el espacio», y la crueldad de esas personas fue como una puñalada. «¿Cómo os sentiríais si acabarais de perder a vuestra hija, pedazo de zorras?», les solté. Tricia tuvo que acompañarme a casa.

Después de la ceremonia de hoy mi madre tiene que trabajar, de modo que me deja en casa de los García. Entro sin llamar. Joe y Sue me abrazan con fuerza y durante largo rato, lo cual hace que me sienta incómoda. Sé que mi presencia les procura cierto consuelo, pero cuando Sue me mira me parece oír sus preguntas silenciosas, y sé que todas se reducen a una: *¿Tú lo sabías?*

Yo no sabía qué habría sido peor. Si saberlo y no habérselo dicho a ellos. O la verdad, que es que, aunque Meg era mi mejor amiga y yo le había contado todo lo que se puede contar sobre mí y suponía que ella había hecho lo mismo, no lo sabía. No tenía ni idea.

«Tomé esta decisión hace tiempo», escribió Meg en su nota. ¿Hace tiempo? ¿Cuánto? ¿Semanas? ¿Meses? ¿Años? La conocía desde la guardería. Fuimos amigas íntimas, casi hermanas, desde entonces. ¿Cuánto hace que tomó esta decisión sin decírmelo? Y lo que es más importante, ¿por qué no me lo dijo?

Después de permanecer sentados en afligido y educado silencio durante unos diez minutos, Scottie, el hermano de diez años de Meg, se me acerca llevando de la correa a *Samson*, el perro de ambos, que ahora es de él.

—¿Un paseíto? —pregunta, dirigiéndose tanto a mí como a *Samson*.

Yo asiento con la cabeza. Scottie es el único que sigue comportándose como de costumbre, quizá porque es pequeño, aunque no tanto, y él y Meg estaban muy unidos. Cuando Sue desaparecía sumida en uno de sus melancólicos estados de ánimo y Joe se iba a cuidar de ella, Meg hacía de madre a Scottie.

Estamos a finales de abril, pero nadie ha avisado de ello al tiempo. Sopla un viento recio y frío, con saña. Nos encaminamos hacia el extenso y desierto prado donde todo el mundo lleva a sus perros a hacer caca, y Scottie suelta a *Samson*. El perro sale corriendo, jubiloso, feliz en su ignorancia canina.

—¿Cómo te sientes, Runtmeyer? —pregunto, utilizando el viejo y chusco apodo que le habíamos puesto a Scottie, aunque ya sé cómo se siente. Pero como Meg ya no puede hacerle de madre y Sue y Joe están hundidos en su dolor, alguien tiene que preguntárselo.

—He llegado al nivel seis de Fiend Finder —responde el niño. Se encoge de hombros—. Ahora podré jugar siempre que quiera.

—Un beneficio añadido. —Me tapo la boca con la mano. Mi agrio humor negro no es apto para consumo público.

Pero Scottie emite una áspera carcajada, demasiado cínica para un chaval de su edad.

—Ya. Tienes razón. —Se detiene y observa a *Samson* olfatear los cuartos traseros de un perro pastor escocés.

De camino a casa, el animal empieza a tirar de la correa porque sabe que le van a dar de comer.

—¿Sabes lo que no entiendo? —me pregunta Scottie.

Como supongo que seguimos hablando de videojuegos, no estoy preparada para lo que dice a continuación.

—No entiendo por qué Meg no me envió también esa nota.

—¿Tienes una dirección de correo electrónico? —pregunto.

Como si ésa fuera la razón por la que no se la hubiera enviado.

Scottie pone los ojos en blanco.

—Tengo diez años, no dos. Tengo una desde que estaba en tercero de primaria. Meg me enviaba mensajes todos los días.

—Bueno, seguramente..., seguramente quería ahorrarte el disgusto.

Durante un segundo, los ojos de Scottie parecen tan hundidos y ojerosos como los de sus padres.

—Ya, me ha ahorrado el disgusto.

En casa de los García, los invitados empiezan a marcharse. Veo a Sue tirar una cazuela de atún al cubo de la basura. Me mira con gesto culpable. Cuando voy a despedirme de ella con un abrazo, me detiene.

—¿Puedes quedarte? —me pregunta con ese tono tan quedo que tiene, tan distinto del tono parlanchín de Meg. Ella tenía una voz con la que lograba que los demás hicieran lo que fuera cuando ella quería.

—Pues claro.

Sue me invita a pasar a la sala de estar, donde Joe está en el sofá, con la mirada perdida, sin prestar atención a *Samson*, que está sentado a sus pies implorándole que le dé de comer. Lo miro a la tenue luz vespertina. Meg se parecía a él, con sus oscuros rasgos mexicanos. Parece haber envejecido mil años en un mes.

—Cody —dice. Una palabra. Que basta para hacerme romper a llorar.

—Hola, Joe.

—Sue quiere hablar contigo. Los dos queremos hablar contigo.

El corazón empieza a latirme con furia, porque temo que por fin me pregunten si sabía algo. Tuve que responder a las preguntas de rigor que me hizo la policía cuando ocurrió esto, pero tenían más que ver con cómo había obtenido Meg el veneno, y yo no sabía nada de eso, salvo que, cuando ella quería algo, generalmente hallaba el medio de conseguirlo.

Después de su muerte, busqué en Internet todos los signos de suicidio. Meg no me regaló ninguna de sus pertenencias más valiosas. No hablaba sobre quitarse la vida. Bueno, decía cosas como «Si la señora Dobson nos pone otra prueba escrita por sorpresa, me pego un tiro», pero creo que eso no cuenta.

Sue se sienta junto a Joe en el gastado sofá. Se miran durante medio segundo, pero es como si hacerlo les doliera demasiado. Se vuelven hacia mí. Como si yo fuera Suiza.

—El curso en Cascades termina el mes que viene —me informan.

Asiento. La Universidad de Cascades es una prestigiosa institución de enseñanza privada donde Meg obtuvo una beca. El plan era que las dos nos mudáramos a Seattle después de graduarnos en el instituto. Veníamos hablando de ello desde tercero de secundaria. Las dos estudiaríamos en la Universidad de Washington, compartiendo una habitación en la residencia estudiantil durante los dos primeros años, luego viviríamos fuera del campus hasta finalizar nuestros estudios. Pero Meg había conseguido esta increíble beca completa en Cascades, un plan mucho más atractivo que el que ofrecía la Universidad de Washington. En cuanto a mí, había sido admitida en la UW, pero sin ningún tipo de beca. Tricia había dejado muy claro que no podía ayudarme. «Por fin he logrado saldar todas mis deudas.» De modo que al final yo había desistido de estudiar en la UW y había decidido quedarme en la ciudad. Mi plan era estudiar dos años en un centro universitario donde se imparten cursos de dos años y luego trasladarme a Seattle para estar con Meg.

Joe y Sue guardan silencio. La observo a ella morderse las uñas. Tiene las cutículas destrozadas. Por fin alza la vista.

—En la universidad se han portado muy bien; se han ofrecido para recoger todas las cosas que tenía Meg en su habitación y enviárnoslas, pero no soporto la idea de que un extraño toque sus pertenencias.

—¿Y sus compañeros de residencia?

La Universidad de Cascades es pequeña y dispone de muy pocas residencias estudiantiles. Meg vive —vivía— fuera del campus, en una vivienda que compartía con otros estudiantes.

—Por lo visto, han cerrado su habitación y lo han dejado todo como estaba. El alquiler está pagado hasta el final del trimestre, pero tenemos que vaciar su habitación y traerlo todo… —La voz de Sue se quiebra.

—A casa —remata Joe.

Tardo un segundo en comprender lo que quieren, lo que me están pidiendo. Al principio me siento aliviada porque significa que no tengo que confesar que ignoraba lo que Meg se proponía hacer. Que la vez en su vida que más me necesitaba, yo le había fallado. Pero de pronto el peso de lo que me piden patina y aterriza sobre mi estómago. Lo que no significa que no lo vaya a hacer. Lo haré. Por supuesto que lo haré.

—¿Queréis que vaya a recoger sus cosas? —pregunto.

Ellos asienten. Yo también. Es lo menos que puedo hacer.

—Cuando terminen tus clases, desde luego —dice Sue.

Oficialmente, mis clases terminan el mes que viene. Extraoficialmente, terminaron el día que recibí el correo electrónico de Meg. Desde entonces no he hecho más que recolectar suspensos.

—Y si puedes ausentarte unos días del trabajo —apostilla Joe.

Lo dice con tono respetuoso, como si yo tuviera un empleo importante. Limpio casas. Las personas para las que trabajo, como todo el mundo en esta ciudad, saben lo de Meg y han sido muy amables, diciéndome que me tome todo el tiempo que necesite. Pero lo que necesito no son horas libres para pensar en lo que ha hecho Meg.

—Puedo ir en cualquier momento —respondo—. Mañana, si queréis.

—Meg no tenía muchas cosas. Puedes llevarte el coche —dice Joe.

Los García solo tienen un coche, y planean sus jornadas como una expedición de la NASA para que Sue pueda dejar a Joe en su trabajo y llevar a Scottie al colegio e ir ella a su trabajo y luego recogerlos a todos al final del día. Los fines de semana es más de lo mismo: hacer la compra en el supermercado y todos los recados que no tienen tiempo de hacer durante la semana. Yo no tengo coche. A veces, muy de vez en cuando, Tricia me deja el suyo.

—Puedo ir en autobús. Meg no tiene tantas cosas. No tenía.

Parecen aliviados.

—Te pagaremos los billetes de ida y vuelta. Cualquier caja que no puedas traer tú puedes enviarla por UPS —dice Joe.

—Y no tienes que traer todas sus cosas. —Sue hace una pausa—. Sólo las más importantes.

Asiento. Me miran con tal expresión de gratitud que desvío la vista. El viaje no es nada: un recado de tres días. Un día para llegar allí, un día para recoger las cosas y otro para regresar a casa. Es el tipo de favor que Meg se habría brindado a hacer sin que tuvieran que pedírselo.

4

De vez en cuando, yo leía un artículo esperanzador acerca de que en Tacoma se habían renovado y reconstruido tantos barrios, propiciando la afluencia de gente de clase media y adinerada, que la ciudad empezaba a rivalizar con Seattle. Pero cuando mi autocar llega al centro de la ciudad, que está desierto, todo tiene un aspecto descorazonador, como si se esforzara inútilmente en alcanzar su propósito de renovación. Como algunas amigas del bar donde trabaja Tricia, mujeres cincuentonas vestidas con minifalda y plataformas y con exceso de maquillaje que no engañan a nadie. Los hombres en nuestra ciudad las describen como vejestorios emperifollados.

Cuando Meg se marchó, le prometí que iría a visitarla una vez al mes, pero sólo fui en una ocasión, el octubre pasado. Había comprado un billete para Tacoma, pero cuando el autocar llegó a Seattle, ella me esperaba en la terminal. Había planeado que pasáramos el día en Capitol Hill, cenáramos en algún antro en Chinatown y luego fuéramos a ver tocar a una banda en Belltown: todas las cosas que habíamos dicho que haríamos cuando nos instaláramos aquí en un apartamento. Se mostraba tan entusiasmada con el plan que yo no sabía si me lo vendía como algo extraordinario o como un premio de consolación.

En cualquier caso, fue un desastre. Hacía un tiempo lluvioso y frío, mientras que en casa había hecho un día soleado y frío. Otra razón para no trasladarme a Seattle, me dije. Y ninguno de los lugares que visitamos —las tiendas de prendas *vintage*, las de cómics y las cafeterías— eran tan molones como yo había imaginado. Al menos, es lo que le dije a Meg.

«Lo siento», dijo ella. No con tono sarcástico, sino sinceramente, como si los defectos de Seattle fueran culpa suya.

Pero era mentira. Seattle era genial. Incluso pese al mal tiempo, me habría encantado vivir allí. Pero estoy segura de que me habría encantado vivir en Nueva York o en Tahití o en un millón de lugares que no había visitado nunca.

Esa noche Meg quería llevarme a ver tocar a una banda, unos tipos que conocía, pero le dije que estaba muy cansada y no me apetecía. Regresamos a su casa en Tacoma. Yo había pensado en quedarme buena parte del día siguiente, pero le dije que me dolía la garganta y a primera hora de la mañana tomé un autocar de regreso a casa.

Me invitó a que regresara, pero yo siempre tenía algún motivo que me lo impedía: estaba muy ocupada, el billete del autocar no era barato. Ambas cosas eran ciertas, aunque no fueran la verdad.

Tengo que tomar dos autobuses para trasladarme del centro de la ciudad al pequeño y arbolado campus de Cascades, situado frente al puerto. Joe me había dicho que fuera a la administración para que me dieran unos papeles y una llave. Aunque Meg había vivido fuera del campus, la universidad gestiona todas las residencias de estudiantes. Cuando les explico quién soy, comprenden de inmediato por qué he venido, porque me miran con una expresión que odio, una expresión que conozco bien: con calculada empatía.

—Lamento tu pérdida —me dice la mujer. Es gorda y lleva un vestido drapeado que sólo consigue hacer que parezca más corpulenta—. Hemos organizado unos grupos de apoyo semanales para las personas a quienes ha afectado la muerte de Megan. Si quieres participar en una de esas reuniones con nosotros, dentro de poco celebraremos otra.

¿Megan? Sólo sus abuelos la llamaban así.

La mujer me entrega un folleto a todo color con una foto enorme y risueña de una Meg que no reconozco. En la portada dice *Lifeline* con unos corazoncitos sobre las íes.

—El lunes por la tarde.

—Me temo que ya me habré marchado.

—Lástima. —La mujer hace una pausa—. Esas reuniones han sido muy catárticas para la comunidad del campus. La gente se ha llevado una impresión tremenda.

«Impresión» no es la palabra adecuada. «Impresión» es lo que me llevé yo cuando por fin conseguí que Tricia me revelara quién era mi padre y averigüé que hasta que tuve nueve años había vivido a menos de treinta kilómetros de nosotras. Lo que ha ocurrido con Meg es algo muy distinto; es como despertarte una mañana y comprobar que ahora vives en Marte.

—Sólo pasaré una noche aquí —informo a la mujer.

—Lástima —repite.

—Sí, lástima.

La mujer me entrega unas llaves, me indica cómo llegar a la casa y dice que llame si necesito algo. Yo me largo apresuradamente antes de que me dé su tarjeta. O peor aún, un abrazo.

Al llegar a la casa donde se alojaba Meg, nadie abre cuando llamo, de modo que entro utilizando la llave. Dentro huele a cerveza y a pizza, y a una pipa de agua y a otra cosa: al olor a amoníaco de un arenero para gatos sucio. Oigo el sonido de unas bandas de jazz, Phish o Widespread Panic, el tipo de música *hippy* mala que haría que Meg quisiera pegarse un tiro. Entonces me detengo, recordando que, en efecto, se ha matado.

—¿Quién eres? — Una chica alta y ridículamente bonita aparece delante del mí. Va con una camiseta teñida de varios colores con el signo de la paz, y me mira con gesto displicente.

—Me llamo Cody Reynolds. He venido por Meg. Para recoger sus cosas.

La chica se tensa. Como si Meg, la sola mención de su nombre, el hecho de que existiera, le hubiera amargado la vida. Odio a esa chica. Y cuando me dice que se llama Tree, lamento que Meg no esté presente para poder mirarnos con esa expresión imperceptible que habíamos perfeccionado con los años para mostrar nuestro mutuo desprecio. *¿Tree?*

—¿Eres una de sus compañeras de residencia? —pregunto.

Al poco de llegar aquí, Meg me enviaba largos correos electrónicos sobre sus clases, sus profesores, su trabajo a tiempo parcial y, en algunos casos, dibujos desternillantes de sus compañeros de residencia, dibujos a carbón que había escaneado para mí. Ese tipo de cosas me encantaban, me divertía su arrogancia, porque siempre había sido así. Meg y Yo. Contra el Mundo. En casa nos llamaban la Vaina. Pero al leer sus correos, tuve la sensación de que se afanaba en realzar los defectos de sus compañeros de residencia para que yo me sintiera mejor, lo cual sólo conseguía hacer que me sintiera peor. En cualquier caso, no recordaba a Tree.

—Soy amiga de Rich —responde Tree, esa *hippy* borde. Aah, Richard el Drogata, como lo llamaba Meg. Lo conocí la otra vez que estuve aquí.

—Bueno, empezaré a recoger sus cosas —digo.

—Muy bien —contesta Tree. Su abierta hostilidad contrasta con la amabilidad y consideración con que me ha tratado todo el mundo durante el último mes.

Casi espero ver frente a la puerta de Meg uno de los improvisados altares que han creado en toda la ciudad: cada vez que veo uno, siento deseos de arrancar las cabezas de las flores o derribar las velas.

Pero eso no es lo que encuentro. En la puerta han pegado la carátula de un álbum: *Feel the Darkness,* de Poison Idea. La imagen de un tipo sosteniendo un revólver contra su sien. *¿Esta* es la idea que tienen los compañeros de residencia de Meg de honrar su muerte?

Respiro hondo, meto la llave en la cerradura y giro el pomo. Dentro, tampoco es como esperaba. Meg era decididamente desordenada, el dormitorio de su casa estaba lleno de montones de libros y cedés, dibujos, proyectos de bricolaje sin terminar: una lámpara que trataba de reparar, una película en Super 8 que quería montar. Sue me había dicho que sus compañeras de residencia se habían limitado a cerrar la puerta de la habitación con llave, dejándolo todo tal como estaba, pero da la impresión de que alguien ha estado aquí. La cama está hecha. Y gran parte de sus prendas están pulcramente dobladas. Debajo de la cama hay unas cajas de diversos tamaños.

Calculo que, como mucho, tardaré dos horas en recogerlo todo. De haberlo sabido, habría venido en el coche de los García y habría regresado el mismo día.

Sue y Joe me habían ofrecido dinero para que alquilara una habitación en un motel, pero yo no lo había aceptado. Sé que les queda poco, que habían invertido cada centavo que tenían en la educación de Meg, que, pese a ser una beca completa, comportaba numerosos gastos. Y su muerte ha supuesto otro gasto. Les dije que dormiría aquí. Pero ahora que estoy en su habitación, no puedo evitar recordar la última vez —la única vez— que dormí aquí.

Meg y yo hemos compartido camas, literas y sacos de dormir sin ningún problema desde que éramos pequeñas. Pero la noche de mi visita, yo había permanecido despierta, acostada en la cama junto a ella, que dormía a pierna suelta. Roncaba un poco y yo le daba de vez en cuando una patadita, como si fueran sus ronquidos los que me impedían pegar ojo. Cuando nos levantamos el domingo por la mañana, algo mezquino y duro había arraigado en mi vientre, y tenía ganas de pelearme con alguien. Pero lo último que quería era pelearme con Meg. No me había hecho nada. Era mi mejor amiga. De modo que me había marchado temprano. Y no porque me doliera la garganta.

Cuando bajo de nuevo, la música ha cambiado, pasando de Phish a algo más roquero. Creo que son los Black Keys. Lo cual es mejor, aunque un giro imprevisto. Hay un grupo de personas sentadas en un sofá de terciopelo color púrpura, compartiendo una pizza y un *pack* de doce latas de cervezas. Tree está con ellos, así que paso de largo, ignorándolos, ignorando el olor a pizza que hace que mi estómago proteste porque no he comido nada, salvo un trozo de un bollo Little Debbie en el autocar.

Fuera, se está nublando. Camino un trecho hasta llegar a una zona donde hay restaurantes. Me siento en uno y pido un café, y cuando la camarera me mira con cara de pocos amigos, pido un plato de dos dólares y noventa y nueve centavos suponiendo que eso me da derecho a pasar aquí la noche.

Después de unas cuantas horas y de rellenarme la taza de café cuatro o cinco veces, la camarera me deja en paz. Saco mi libro, lamentando no haber traído un *thriller* que me atrape. Pero la señora Banks, la bibliotecaria de la ciudad, se ha empeñado en que lea a autores centroeuropeos. Son fases por las que pasa. Viene haciéndolo desde que yo tenía doce años y me vio leyendo una novela de Jackie Collins en el bar donde trabaja Tricia, en el que a veces, mientras ella cumplía su jornada, yo tenía que pasar un rato hasta que nos íbamos a casa. La señora Banks me preguntó qué otros libros me gustaba leer, y yo le dije algunos títulos, principalmente libros de bolsillo que Tricia traía a casa de la sala de descanso para los empleados del bar. «Ya veo que eres aficionada a la lectura», dijo la señora Banks, y me invitó a pasarme por la biblioteca la semana siguiente. Cuando lo hice, me inscribió como socia y me prestó unos ejemplares de *Jane Eyre* y *Orgullo y prejuicio*. «Cuando termines de leerlos, dime si te han gustado y te daré otros libros.»

Los leí en tres días. El que más de gustó fue *Jane Eyre*, aunque el señor Rochester me cayó fatal y lamenté que no hubiera muerto en el incendio. La señora Banks sonrió cuando se lo comenté, tras lo cual me entregó *Persuasión* y *Cumbres borrascosas*. Los devoré en pocos días. A partir de entonces, me pasaba por la biblioteca al menos una vez a la semana para recoger los libros que me tenía preparados la señora Banks. Me parecía sorprendente que nuestra pequeña biblioteca tuviera un surtido de libros tan extenso, y no fue hasta años más tarde que averigüé que la señora Banks encargaba los libros que creía que me gustarían mediante el préstamo entre bibliotecas.

Pero esta noche el contemplativo Milan Kundera que me ha dado me produce somnolencia. Cada vez que se me cierran los ojos, la camarera, como si tuviera un radar, se acerca para rellenarme la taza de café, aunque no la he tocado desde la última vez que la rellenó.

Resisto hasta aproximadamente las cinco de la mañana, luego pago la cuenta y dejo una generosa propina, porque no estoy segura de si la camarera ha sido grosera conmigo al no dejarme dormir o lo ha hecho para que no me echaran del local. Me paseo por el campus hasta que la biblioteca abre a las siete, y luego me siento en un rincón apartado y echo un sueñecito durante unas horas.

Cuando regreso a la casa de Meg, veo a un tipo y a una chica tomando café en el porche.

—Hola —dice el chico—. Eres Cody, ¿verdad?

—Sí.

—Richard —dice él.

—Ya. Nos conocimos cuando estuve aquí —respondo. Él no parece acordarse. Probablemente iba colocado.

—Yo soy Alice —dice la chica. Recuerdo que Meg mencionó a una nueva compañera de residencia que había llegado para el trimestre de invierno, ocupando el lugar de otra joven que se había marchado al cabo de un semestre.

—¿Dónde has dormido? —pregunta él.

—En un motel —miento.

—¿En el Starline? —dice Alice, alarmada.

—¿Qué? —Tardo un segundo en comprender que el Starline es *el* motel. El motel de Meg—. No, en otro tugurio.

—¿Te apetece un café? —pregunta ella.

Anoche bebí tanto café que me ha producido acidez, y aunque estoy grogui y agotada, no me veo capaz de beber más. Niego con la cabeza.

—¿Quieres echar una pipa? —me pregunta Richard el Drogata.

—¡Richard! —Alice le da un golpe en el brazo—. Tiene que recoger las cosas de Meg. No creo que quiera estar colocada.

—Yo diría que le conviene estarlo —replica él.

—No, de veras —digo. Pero el sol ha conseguido salir a través de la bruma de nubes y hace que todo esté tan resplandeciente que me siento mareada.

—Siéntate. Come algo —dice Alice—. Estoy aprendiendo a elaborar pan, y tengo una barra recién hecha.

—Es menos parecido a un ladrillo que de costumbre —apunta Richard.

—Está muy bueno. —Alice se detiene—. Si le untas mucha mantequilla y miel.

No me apetece pan. No quería conocer a esas personas en el pasado, y ahora tampoco. Pero antes de que pueda reaccionar, la chica desaparece y regresa con el pan. Es denso y cuesta masticarlo, pero Alice tiene razón, con mantequilla y miel resulta pasable.

Cuando me termino la rebanada, sacudo las migas que me han caído en el regazo.

—Bueno, más vale que me ponga manos a la obra —digo, dirigiéndome hacia la puerta—. Aunque alguien ha hecho el trabajo más duro. ¿Sabéis quién recogió algunas de las cosas de Meg?

Richard el Drogata y Alice se miran.

—Así fue como ella dejó la habitación —responde ella—. Lo recogió todo ella misma.

—Se ocupó de cada puñetero detalle hasta su trágico fin —añade él. Me mira y tuerce el gesto—. Lo siento.

—No lo sientas. Me ha ahorrado trabajo —digo. Mi voz suena despreocupada, como si eso me quitara un peso de encima.

Tardo unas tres horas en recoger el resto de sus cosas. Elimino unas camisetas y prendas interiores con agujeros porque ¿para qué van a necesitarlas los García? Tiro a la papelera las revistas de música que tenía apiladas en un rincón. No sé qué hacer con las sábanas de la cama porque aún huelen a ella, y no sé si su olor tendrá en Sue el mismo efecto que me produce a mí, que hace que recuerde a Meg de una forma intensamente visceral: las noches que iba a dormir a su casa, los bailes a los que asistíamos y las charlas que manteníamos hasta las tres de la mañana, que hacían que al día siguiente nos sintiéramos como unos zorros porque apenas habíamos pegado ojo, pero al mismo tiempo nos sentíamos bien porque esas charlas eran como transfusiones de sangre, momentos de realidad y esperanza que constituían unas motas de luz en el oscuro tejido de una ciudad provinciana.

Me siento tentada a aspirar el olor de esas sábanas. Si lo hago, quizá baste para borrarlo todo. Pero sólo puedo contener el aliento durante unos pocos minutos. Al fin tendré que expelerlo, expelerla a ella, y entonces me sentiré como esas mañanas, cuando me despierto, olvidando antes de recordar.

Las oficinas de UPS están en el centro, así que tendré que tomar un taxi, cargar con los bultos, enviarlos, regresar a por las bolsas de viaje y tomar el último autocar, que sale a las siete. Cuando bajo, encuentro a Alice y a Richard el Drogata donde los dejé. No tengo muy claro si los estudiantes de esta universidad supuestamente prestigiosa estudian en algún momento del día.

—Ya he terminado —les digo—. Sólo tengo que cerrar las cajas y me marcho.

—Te traeremos los gatos antes de que te vayas —dice Richard el Drogata.

—¿Los gatos?

—Los dos gatos de Meg —me aclara Alice. Me mira ladeando la cabeza—. ¿No te habló de ellos?

Me niego a demostrar sorpresa. O disgusto.

—No sabía nada de unos gatos —respondo.

—Encontró a esos gatitos callejeros hace un par de meses. Estaban desnutridos y enfermos.

—Les salía un asqueroso pus de los ojos —añade Richard el Drogata.

—Sí, tenían una infección ocular. Entre otras cosas. Meg los adoptó. Se gastó un dineral en los tratamientos en la clínica veterinaria, y cuidó de ellos hasta que se pusieron bien. Adoraba a esos gatitos. —Alice menea la cabeza—. Eso fue lo que más me sorprendió. Que hiciera todo lo que hizo por esos gatitos y luego...

—Ya, bueno, Meg era imprevisible —digo. La amargura es tan intensa que estoy convencida de que deben olerla en mi aliento—. Los gatos no son asunto mío.

—Pero alguien tiene que cuidarlos —dice Alice—. Nosotros nos hemos ocupado de ellos hasta ahora, pero no podemos tener mascotas en la casa y en verano nos iremos todos de vacaciones y no podemos llevárnoslos.

Yo me encojo de hombros.

—Ya se os ocurrirá algo.

—¿Has visto a los gatitos? —Alice se dirige a un lado de la habitación y empieza a hacer unos ruiditos como besos, y al cabo de unos momentos entran en la sala de estar dos bolitas peludas—. Éste es *Pete* —dice, señalando a un gato gris con una mancha negra en el hocico—. Y el otro es *Repeat.**

Pete y Repeat salieron en un bote. Pete se cayó al agua. ¿Quién se salvó? Xavier, el tío de Meg, nos contó este chiste, y nosotras nos atormentábamos la una a la otra repitiéndolo hasta la saciedad. *Repeat. Repeat. Repeat.*

Alice deposita uno de los gatitos en mis brazos, donde empieza a agitar de inmediato las patitas y a hacer lo que suelen hacer los gatos

* *Repeat*: repite. *(N. de la T.)*

cuando quieren leche. Al fin se rinde y se queda dormido, una bolita contra mi pecho. Siento un cosquilleo en mi interior, un eco de otra época cuando no todo estaba helado ahí dentro.

El gato empieza a ronronear, y estoy perdida.

—¿No hay alguna protectora de animales aquí?

—Sí, pero tienen a docenas de gatos acogidos, y sólo los retienen tres días antes de... —Alice se pasa un dedo por el cuello.

Pete, o quizá sea *Repeat*, sigue ronroneando en mis brazos. No puedo llevármelos a casa. A Tricia le daría un ataque. No permitiría que entraran en casa, y los gatitos serían devorados por coyotes o se morirían de frío al cabo de poco tiempo. Podría preguntar a Joe y a Sue si quieren adoptarlos, pero he visto la forma en que *Samson* persigue a los gatos.

—En Seattle hay algunas protectoras de animales donde no los sacrifican —dice Richard el Drogata—. Leí un artículo sobre ellos del Animal Liberation Front.

Yo suspiro.

—De acuerdo. Cuando me vaya, pasaré por Seattle y dejaré allí a los gatos.

Richard el Drogata se echa a reír.

—No es como ir a la tintorería. No puedes dejarlos allí sin más. Tienes que concertar una cita para solicitar que los acojan.

—¿Cuándo has llevado tú algo a la tintorería? —le pregunta Alice.

Pete/Repeat maúlla en mis brazos. Alice me mira.

—¿Cuánto dura el trayecto de regreso a tu casa en autocar?

—Siete horas, aparte del rato que tarde en llevar las cajas a las oficinas de UPS.

Alice me mira y luego a Richard el Drogata.

—Son las tres. Quizá deberías ir a Seattle y dejar los gatos en una protectora, y partir mañana a primera hora.

—¿No podrías llevar tú los gatos a la protectora? —pregunto—. Pareces estar muy informada sobre el tema.

—Tengo que preparar un trabajo sobre Estudios de Mujeres.

—Puedes ir cuando termines.

Alice duda un segundo.

—No. Esos gatos eran de Meg. No me parece bien dejarlos en una protectora.

—Ah, de modo que me dejas el trabajo sucio a mí. —Percibo la ira en mi voz, y sé que no es Alice quien me ha dejado el trabajo sucio, pero cuando la veo achantarse, siento una satisfacción perversa.

—Vale, te llevaré en mi coche a Seattle —tercia Richard—. Dejaremos a los felinos en la protectora, luego puedes pasar la noche aquí y partir mañana a primera hora. —Parece tener tantas ganas de deshacerse de mí como yo de deshacerme de él. Al menos, es mutuo.

5

Resulta que es más difícil entrar en las protectoras de animales de Seattle que en las discotecas de moda más exclusivas. Las dos primeras están llenas y por más que suplicamos no nos hacen caso. En la tercera hay sitio, pero tenemos que presentar una solicitud para que admitan a los gatos y la cartilla veterinaria de estos. Informo a la chica que lleva unos *piercings* y unos zapatos *hipster* que no son de cuero que me marcho de la ciudad, que tengo a los gatos en el coche, y ella me dirige la mirada más sarcástica del mundo y me dice que debí pensarlo antes de adoptar una mascota. Siento ganas de abofetearla.

—¿Te apetece fumarte ahora una pipa? —me pregunta Richard el Drogata después del tercer fracaso. Son las ocho y las protectoras han cerrado hasta mañana.

—No.

—¿Quieres que vayamos a algún local nocturno? ¿Para distraerte? ¿Ya que estamos en Seattle?

Estoy hecha polvo debido a la nochecita que he pasado y no quiero estar aquí con Richard el Drogata y no sé cómo conseguir una cartilla veterinaria, dado que mañana es domingo. Respondo que no a sus propuestas, pero él insiste:

—Podemos ir a uno de esos antros que solía frecuentar Meg. De vez en cuando se dignaba a dejar que la acompañáramos. Hace una pausa—. Aquí tenía mogollón de amigos.

Me choca que Richard utilice los términos «dignarse» y «mogollón». Pero la verdad es que me gustaría visitar esos lugares. Pienso en el local al que Meg quería llevarme el fin de semana que vine a visitarla. En todos los locales a los que quería llevarme los fines de semana que no vine a visitarla. Sé lo que le entusiasmaba conocer la movida de las bandas musicales, aunque al cabo de un tiempo los entusiásticos correos electrónicos empezaron a disminuir hasta que cesaron por completo.

—¿Qué hacemos con los gatitos? —pregunto.

—En el coche estarán bien —responde—. Esta noche hace una temperatura de unos trece grados. Tienen agua y comida. —Señala a *Pete* y a *Repeat*, que, después de haber chillado y maullado durante todo el trayecto hasta aquí, ahora están acurrucados uno junto al otro en su trasportín.

Nos dirigimos a un local situado en Fremont, junto al canal. Antes de entrar, Richard enciende una pequeña pipa y se pone a fumar a través de la ventanilla.

—No quiero dar a los gatos un subidón por contacto —bromea.

Mientras pagamos nuestras entradas, me dice que Meg venía aquí con frecuencia. Yo asiento como si lo supiera. El local está vacío. Huele a cerveza rancia, a lejía, a desesperación. Dejo a Richard en la barra y me entretengo jugando sola en una máquina de *pinball*. A las diez el local empieza a llenarse, y a las once entra la primera banda que va a actuar esta noche, un grupo que utiliza unos potentes amplificadores y cuyo vocalista más que cantar gruñe.

Después de algunas canciones que no están mal, Richard el Drogata se reúne conmigo.

—Ése es Ben McCallister —me informa, señalando al guitarrista/gruñidor.

—Ah —respondo. No he oído hablar de él. La movida musical de Seattle tarda un tiempo en llegar a Shitburg.*

* Shitburg: traducible por Ciudad de Mierda. *(N. de la T.)*

—¿Meg no te habló de él?

—No —contesto secamente. Tengo ganas de gritar a todo el mundo que dejen de preguntarme esas cosas. Porque no sé lo que Meg me dijo y no presté atención, y lo que Meg no me dijo. Aunque de una cosa estoy segura, y es que no me dijo que su sufrimiento era tan brutal que la única solución que veía era comprar un detergente industrial y bebérselo.

Richard el Drogata me explica que estaba obsesionada con ese tipo, y todo está envuelto en un ruido blanco, porque Meg se había obsesionado en varias ocasiones y a su estilo con muchos guitarristas. Pero de pronto este guitarrista, este Ben McCallister, se detiene y bebe un trago de cerveza, sosteniendo el largo cuello de la botella entre dos dedos, su guitarra colgando sobre su escuálida cadera como una extremidad. Entonces se vuelve hacia el público, iluminado por los potentes reflectores, y veo que tiene unos ojos de un azul imposible y hace un gesto, como si se protegiera los ojos del sol, mientras escudriña el público en busca de alguien, pero su forma de hacerlo me lleva a recordar algo de repente.

—Ah, ése debe de ser el Héroe Trágico de la Guitarra —digo.

—Ese tipo no tiene nada de héroe —contesta Richard el Drogata.

El Héroe Trágico de la Guitarra. Recuerdo que ella me escribió un par de veces sobre él, lo cual me chocó porque no me había hablado de ningún chico. Al principio pensé que había conocido a esa banda y se había encaprichado de él como solía entusiasmarse con los chicos —y las chicas— que pertenecían a ciertas bandas musicales.

El Héroe Trágico de la Guitarra. Ella me había hablado de su banda, del sonido retro Sonic Youth-Velvet Underground, mezclado con unas sensibilidades modernas. Típico de Meg. Pero también me había escrito sobre sus ojos, tan azules que suponía que llevaba lentillas. Ahora, cuando los miro, me doy cuenta de que son de un azul muy extraño.

Entonces recuerdo una línea de uno de sus correos. Meg me

había preguntado: «¿Recuerdas el consejo que nos dio Tricia cuando empezó a trabajar en el bar?»

A Tricia le encantaba dar consejos, especialmente cuando tenía un público tan atento como Meg. Pero enseguida comprendí a qué consejo se refería. *No os acostéis nunca con el* barman, *chicas*, nos había advertido.

«¿Por qué? ¿Porque lo hace todo el mundo?», había preguntado Meg. Le encantaba la forma en que nos hablaba Tricia, como si fuéramos unas amigas suyas del bar, como si nos estuviéramos acostando con alguien.

«Eso también —había respondido mi madre—. Pero principalmente porque dejaréis de conseguir copas gratis.»

Meg había escrito que también era aplicable a Héroes Trágicos de la Guitarra. Yo me había sentido confundida porque no había mencionado que se había enamorado de este tipo ni que saliera con él, y menos que se acostara con él, cosa que no había hecho nunca, excepto la vez que ambas habíamos decidido que no contaba. Y si Meg había hecho algo tan memorable como acostarse con un tío, me lo habría contado. Decidí preguntárselo cuando regresara a casa. Pero no regresó.

De modo que es él. El Héroe Trágico de la Guitarra. Me había parecido tan mítico. Generalmente, cuando añades un nombre a un personaje mítico, este suele perder la magia. Pero el hecho de conocer su nombre, Ben McCallister, no hace que él la pierda.

Observo a la banda con atención. Él hace lo que suelen hacer los roqueros cuando tocan la guitarra, inclinados sobre ella y sobre el micro, y de repente dejan de tocar, agarrando el micro como si fuera el cuello de una amante. Puro teatro. Pero muy eficaz. Imagino la cola de fans que debe tener. Pero me cuesta creer que Meg fuera una de ellas.

—Nosotros somos los Scarps. Dentro de unos momentos actuarán los Silverfish —anuncia Ben McCallister cuando concluye la breve actuación de la banda.

—¿Nos vamos? —me pregunta Richard el Drogata.

Pero no quiero irme. Se me ha quitado el cansancio y estoy furiosa con Ben McCallister, porque ahora comprendo que ha jodido a mi amiga en más de un sentido. ¿La trató como a cualquiera de sus fans de usar y tirar? ¿No sabía quién era Meg García? Meg no era un objeto desechable.

—Aún no —digo a Richard. Me levanto de mi asiento y me dirijo a la barra, donde Ben McCallister está bebiéndose otra cerveza y hablando con un grupo de personas que le dicen que ha estado genial. Me acerco a él, pero cuando me detengo a su espalda, tan cerca que veo las vértebras de su cuello y el tatuaje en su omóplato, no sé qué decirle.

Pero al parecer Ben McCallister sí sabe qué decirme. Porque al cabo de unos pocos segundos de charlar con las otras chicas, se vuelve y me mira.

—Te he visto.

De cerca, es mucho más guapo de lo que debería ser un chico. Tiene unos rasgos que deduzco que son irlandeses: el cabello negro, una piel que en una mujer calificaríamos de alabastro, pero que en un roquero resulta simplemente pálida. Unos labios rojos y carnosos. Y esos ojos. Meg tenía razón. Parece que lleve lentillas.

—¿Dónde me has visto? —pregunto.

—Ahí —dice, señalando las mesas del local—. Buscaba a un amigo que me dijo que vendría, pero no se ve nada con esos reflectores. —Ben hace el gesto de protegerse los ojos del resplandor como le vi hacer sobre el escenario—. Pero entonces te vi a ti... —Se detiene una fracción de segundo—, como si *tú* fueras la persona a la que buscaba.

¿Eso es lo que hace? ¿La táctica que emplea? ¿Lo tiene todo tan ensayado que incluso utiliza ese gesto de protegerse los ojos y entrecerrarlos mientras actúa? No cabe duda de que es una táctica muy eficaz. Porque si yo fuera una de sus fans, pensaría: *Uyyy, me busca a mí.* Y no siendo una de sus fans podría pensar: *Eso que has dicho es muy bonito y debes de ser un roquero muy sensible para creer en algo como el destino.*

¿Es la táctica que utilizó con Meg? ¿Le funcionó con ella? Me estremezco al pensar que mi amiga se tragara esa chorrada, pero dado que se encontraba lejos de casa, deslumbrada por el resplandor de los focos y cautivada por el sonido de la guitarra, ¿quién sabe?

McCallister interpreta mi silencio como timidez.

—¿Cómo te llamas?

¿Le sonará mi nombre? ¿Le habló Meg de mí?

—Cody —respondo.

—Cody, Cody, Cody —repite, como poniendo a prueba el sonido de mi nombre—. Es nombre de vaquera —dice, imitando el acento sureño—. ¿De dónde eres, Vaquera Cody?

—De la tierra de las vaqueras.

Sonríe lentamente, como si racionara su sonrisa.

—Me gustaría visitar la tierra de las vaqueras. Quizá vaya para que me enseñes a montar —dice, con una mirada cargada de significado, por si yo no había captado el doble sentido.

—No tardarías en darte un batacazo.

Eso le gusta. El muy capullo piensa que estamos flirteando.

—¿Tú crees?

—Sí. Los caballos huelen el temor.

Su expresión se tensa durante un segundo. Luego pregunta:

—¿Qué te hace suponer que tengo miedo?

—Los capullos urbanitas siempre tienen miedo.

—¿Cómo sabes que soy un capullo urbanita?

—Bueno, estamos en una ciudad, y eres un capullo, ¿no?

En su cara se pinta un gesto de confusión. Veo que no sabe si soy una descarada coqueta, el tipo de chica que en la cama es una calentorra, aunque un poco agresiva, o si esto ha derivado en otra cosa. Pero recupera la compostura, asumiendo la perezosa sonrisa de un aspirante a estrella del *rock*.

—¿Con quién has hablado, Vaquera Cody?

Su tono es desenfadado, pero con un deje áspero.

Yo adopto una voz sensual, que Tricia sabe imitar como nadie.

—¿Con quién he hablado, Ben McCallister? —respondo, inclinándome hacia él.

Él se inclina también hacia mí, como si pensara que vamos a besarnos. Como si esto le resultara la mayoría de las veces demasiado fácil.

—¿Sabes con quién no he hablado? —Mi voz es pura sensualidad.

—¿Con quién? —pregunta. Está tan cerca que huelo la cerveza en su aliento.

—Meg García. Hace más de un mes que no hablo con Meg García. ¿Y tú?

He oído en varias ocasiones el término «recular», pero cuando veo a Ben McCallister apartarse de un salto, comprendo lo que significa. Retrocede apresuradamente como una serpiente, reculando antes de atacar.

—¿Qué coño es esto? —La parte de coqueteo de nuestra velada ha concluido, y la voz de Ben es un auténtico gruñido, un sonido muy distinto del fingido tono meloso con que canta.

—Meg García —repito. Ahora me cuesta mirarlo a los ojos, pero durante el último mes he aprendido a afrontar momentos duros—. ¿La conoces?

—¿Quién eres? —Sus ojos arden con una furia que confiere a los iris un tono gélido. Ya no parece que lleve lentillas.

—¿O te acostaste con ella y luego la dejaste tirada?

Alguien me da una palmada en el hombro. Al volverme veo a Richard el Drogata.

—Mañana tengo que madrugar —me dice.

—Por mí, ya podemos irnos.

Es casi medianoche y he dormido sólo tres horas y no he cenado y estoy temblando. Consigo alcanzar la parte delantera del local antes de tropezar. Richard me sujeta del brazo, y en ese momento cometo el error de volverme para dirigir una última y fulminante mirada al guaperas, engreído, frívolo y falso de Ben McCallister.

Ojalá no lo hubiera hecho. Porque cuando lo miro por última vez, veo en su rostro una expresión, una crispación entre la rabia y el sentimiento de culpa. Conozco esa expresión. La veo todos los días en el espejo.

6

Esa noche duermo en el sofá de terciopelo, vestida. Me despierto el domingo por la mañana con *Pete* y *Repeat* acurrucados sobre mi pecho y mi cara. O me he apoderado de su sofá, o ellos se han apoderado de mí. Me incorporo y veo al último compañero de residencia, que ha permanecido invisible todo el fin de semana, dejar el bol de cereales en el fregadero y salir por la puerta trasera.

—Adiós, Harry —dice Alice.

Así que ese es Harry. Según Meg, pasaba mucho tiempo encerrado en su habitación con sus numerosos ordenadores y tarros de *kimchi* fermentado.

Alice entra en la cocina y regresa con una taza de café para mí. Me informa de que es ecológico, de comercio justo y cultivado en Malawi. Yo asiento como si mi café tuviera que ser algo más que caliente y cafeinado.

Me siento en el sofá, observando a los gatos jugar lanzándose zarpazos el uno al otro a la cara. Una de las orejas de *Repeat* se queda doblada hacia fuera. Yo se la coloco bien y el animal maúlla. Es el sonido más desolado que he oído jamás, y, me guste o no, me doy cuenta de que soy incapaz de llevar a esos animalitos a una protectora, aunque no sacrifiquen a los animales que acogen.

Después de beberme el café, tomo mi móvil y salgo al porche, donde alguien ha colocado unas latas de cerveza vacías como si fueran bolos. Llamo a Tricia. Sólo son las diez y media, pero milagrosamente atiende la llamada.

—¿Qué te ha parecido la gran ciudad? —pregunta.

—Grande —respondo—. ¿Qué te parecería si llevo a casa a dos gatitos?

—¿Qué te parecería irte a vivir a otro sitio?

—Sería sólo temporal. Hasta que les encuentre un buen hogar.

—Olvídalo, Cody. Te he criado durante dieciocho años. No tengo ganas de acoger a más criaturas indefensas.

Hay muchas cosas que me revientan de esa afirmación, entre otras la insinuación de que soy una criatura indefensa que ella ha cuidado y mimado durante años. Yo diría que me he criado yo misma, pero sería injusta con los García. Cuando tuve una infección de garganta, fue Sue quien se dio cuenta de que tenía las amígdalas hinchadas y me llevó al pediatra para que me recetara unos antibióticos. Cuando tuve mi primera regla, fue Sue quien me compró unas compresas. Tricia se había limitado a indicar la caja de tampones en el botiquín «para cuando llegue el momento», sin comprender lo terrorífico que puede parecerle a una niña de doce años insertarse un objeto «de absorción máxima». En cuanto a las cincuenta horas de práctica de conducir que necesitaba para obtener el carné, Tricia me acompañó durante tres. Las cuarenta y siete restantes fueron a cargo de Joe, que pasó un sinfín de tardes de domingo metido en el coche con Meg y conmigo.

—Quizá me quede unos días más —digo—. ¿Puedes sustituirme en casa de la señora Mason el lunes? Te daré cuarenta dólares.

—Vale. —Tricia se apresura a aceptar el dinero que le ofrezco. No me pregunta por qué voy a retrasarme o cuándo llegaré a casa.

Luego llamo a los García. Es una llamada más complicada porque, si menciono a los gatitos, se ofrecerán para adoptarlos, aunque con la inquina que *Samson* les tiene a los gatos, sería un desastre. Le explico a Sue que necesito un par de días más para resolver algunos cabos sueltos relacionados con Meg. Ella parece aliviada y no me hace más preguntas. Sólo dice que me tome todo el tiempo que necesite. Cuando voy a colgar, añade:

—Esto, Cody...

Odio esos «esto, Cody». Es como si amartillaran una pistola. Como si se dispusieran a decirme que lo saben todo.

—¿Sí?

Se produce una larga pausa por teléfono. El corazón empieza a latirme con fuerza.

—Gracias —se limita a decir Sue.

Entro en la casa y pregunto a Alice cuál es el mejor sistema para buscar un hogar para los gatitos. Un buen hogar.

—Podrías poner un anuncio en Craiglist, pero he oído decir que a veces esos animales terminan en laboratorios de investigación.

—Eso no me ayuda nada.

—Bueno, podrías pegar algún anuncio por la calle. A todo el mundo le gustan las fotografías de gatitos.

Yo suspiro.

—De acuerdo. ¿Cómo lo hacemos?

—Lo más fácil es tomar una fotografía de los gatos, enviártela a ti misma por correo electrónico, añadir un texto e imprimirla... —responde Alice—. Lo más sencillo sería utilizar el ordenador portátil de Meg, que tiene una cámara incorporada.

Se trata del ordenador de mil ochocientos dólares que sus padres le regalaron cuando se marchó a la universidad. Aún lo están pagando.

Subo a la habitación de Meg y encuentro el ordenador en una de las cajas. Lo enciendo. Está protegido por una contraseña de acceso, pero escribo «Runtmeyer» y accedo al disco duro. Bajo con el ordenador mientras Alice coloca a los gatos para la fotografía, lo cual es más difícil de lo que parece, pues no se quedan quietos. Por fin puedo tomar una foto. Alice se apresura a utilizar la función de edición del ordenador para crear el anuncio. Imprimo una copia de prueba en la impresora de Meg.

Cuando me dispongo a cerrar el ordenador, me detengo. Su programa de correo electrónico está allí mismo, en la parte inferior de la barra de herramientas, y, sin pensármelo dos veces, lo abro. De inmediato aparece un montón de correos electrónicos recientes, principalmente mensajes sin importancia de personas que no saben que ha muerto, aunque hay un par de correos que dicen: «Meg, te echamos de menos» y uno que dice que se pudrirá en el infierno porque el suicidio es un pecado. Me apresuro a borrarlo.

Tengo curiosidad por averiguar cuál fue el último correo que envió Meg. ¿A quién se lo envió? ¿Era la nota de suicidio? Cuando abro la carpeta de mensajes enviados, miro a mi alrededor para comprobar que nadie me observa. Pero, como es natural, nadie está pendiente de lo que hago.

No es la nota de suicidio. Meg la redactó dos días antes de morir, y, como sabemos ahora, la programó para enviarla automáticamente al día siguiente de morir. Después de la nota de suicidio, escribió varios correos, incluyendo uno a la biblioteca protestando por la multa que le habían puesto por haberse retrasado en la devolución de un libro. ¿Sabía que iba a morir y le preocupaba una multa de la biblioteca?

¿Cómo es posible que una persona haga eso? ¿Cómo es posible que pueda tomar semejante decisión, escribir una nota así y luego suicidarse? Si eres capaz de hacer eso, ¿por qué no eres capaz de seguir adelante?

Leo otros correos enviados. Hay uno que Meg escribió a Scottie la semana en que murió. Sólo dice: «Hola, Runtmeyer, te quiero. Siempre».

¿Era su despedida? ¿Me envió a mí una nota de despedida que no recibí?

Sigo examinando otros correos enviados, pero hay algo que me choca: hay un montón de mensajes de la semana antes de que Meg muriera, luego un lapso de seis semanas durante las cuales no hay nada, y luego los mensajes se reanudan en enero.

Cuando voy a cerrar el ordenador, veo un correo que Meg envió a un bigbadben@podmail.com unos días antes de morir. Tras dudar un momento, lo abro.

«No tienes que preocuparte más por mí.»☺

Es una despedida distinta, y pese a la carita risueña siento su dolor y su sentimiento de rechazo y derrota, algo que jamás había asociado con Meg García.

Abro su bandeja de entrada y busco correos de bigbadben. Se remontan al otoño, y los primeros son por lo general breves y ocurrentes, unos mensajes divertidos de una sola línea, al menos los enviados por él. No veo aquí las respuestas de Meg, sólo el lado de la conversación por parte de él, porque todas las respuestas de ella han sido eliminadas. Los primeros correos enviados por él datan de poco después de que Meg fuera a verlo actuar, unos mensajes que dicen: «Gracias por venir a verme, gracias por ser tan amable cuando la banda es una mierda», unos comentarios falsamente autodenigrantes que no engañarían a una niña de seis años. Hay unas notas sobre próximas actuaciones de la banda.

El tono se vuelve luego más íntimo, más personal; en un mensaje la llama Meg la Loca, en otro se refiere a sus botas eléctricas, que deduzco que son las botas vaqueras de piel de serpiente color naranja que Meg compró en Goodwill y que se ponía siempre. Hay un par de correos en que le dice que está chiflada porque todo el mundo sabe que Keith Moon es el mejor batería del mundo. Hay algunos más con este tipo de comentarios sobre el mundo del *rock* que imagino que dieron pie a que Meg flirteara con él durante días.

De repente se produce un cambio en el tono. «No pasa nada. Seguimos siendo amigos», escribe él. Pero percibo el malestar incluso aquí, a tres pasos y cuatro meses de distancia. Miro los correos enviados por Meg para comprobar qué le escribió ella. Leo algunos de sus primeros mensajes, sus comentarios sobre Keith Moon, pero no veo qué provocó los últimos correos, porque falta un montón de mensajes enviados por ella. Casi todos los de enero y febrero han sido eliminados. Lo cual me choca.

Abro de nuevo los correos que le envió Ben. Otro correo dice: «No te preocupes por eso». En otro le pide que no le llame a horas tan intempestivas. En otro dice, con un tono menos convincente, que por supuesto que siguen siendo amigos. En otro pregunta a Meg si se ha llevado su camiseta de Mudhoney y, en tal caso, si podría devolvérsela porque es de su padre. Luego leo uno de los últimos correos que le envió. Una simple frase, tan brutal que me hace odiar a Ben McCallister con hielo en las venas: «Meg, tienes que dejarme en paz».

Pues ya te ha dejado en paz.

Ayer encontré una camiseta enorme, negra, blanca y roja, pulcramente doblada. Como no la reconocí, la coloqué en el montón de prendas para regalar. Ahora me apresuro a cogerla. Pone MUDHONEY. La preciada camiseta de Ben. Que ni siquiera tuvo el detalle de darle a Meg.

Me siento de nuevo ante el ordenador y, con furia en mis dedos, envío un nuevo correo a bigbadben desde la cuenta de Meg. Asunto: «Regreso de entre los muertos».

«Me refiero a tu preciosa camiseta, —escribo—. Los milagros y segundos advenimientos tienen un límite.»

No firmo y antes de pensármelo dos veces, pulso la tecla de enviar. Tardo treinta segundos en arrepentirme, y recuerdo por qué odio el correo electrónico. Cuando escribes una carta, por ejemplo a tu padre, puedes llenar un montón de páginas enumerando las cosas que te parecen muy importantes, porque no sabes dónde vive, y aunque lo supieras, pasarías cierto tiempo buscando un sobre y un sello y a esas alturas ya habrías roto la carta. Pero un buen día encuentras una dirección de correo electrónico y estás cerca de un ordenador con acceso a Internet, de modo que escribes lo que sientes y pulsas la tecla de enviar antes de tener tiempo de convencerte de que no debes hacerlo. Y entonces esperas, y esperas, y sigues esperando, y no recibes ninguna respuesta, y comprendes que todas esas cosas que creías que eran tan importantes y debías decir no lo son. Que no valía la pena que las dijeras.

Alice y yo pegamos los anuncios en la zona de Tacoma cerca de la universidad. A ella se le ocurre luego la ingeniosa idea de pegarlos en una elegante tienda de alimentos dietéticos donde compran las personas adineradas. Tomamos el autobús, y durante el trayecto me explica que ese establecimiento no vende productos de cultivo orgánico, pero es posible que abran uno pronto, y cuando respondo, «qué interesante», dice: «Lo sé», sin captar mi sarcasmo, de modo que me pongo a mirar por la ventanilla, confiando en que se calle.

El viaje es un fracaso porque la encargada de la tienda no nos permite pegar los anuncios dentro de la misma, de modo que los entregamos a las elegantes clientas con sus bolsas recicladas, mientras ellas nos miran como si les ofreciéramos muestras gratuitas de cocaína.

Cuando regresamos, son más de las cinco, e incluso la jovial Alice se muestra alicaída. Yo me siento frustrada y furiosa. Me parece increíble que sea tan difícil hallar un hogar para unos gatitos. Toda la situación me parece una broma pesada, y la que se ríe la última es Meg.

La casa huele a comida, un olor raro y desagradable a especias que no casan bien: curry, romero, demasiado ajo. Tree ha regresado y está sentada en el sofá, bebiendo una cerveza.

—Pensé que te habías ido —dice fríamente.

Alice clava uno de los anuncios de los gatos en el tablón que hay junto a la puerta, al lado de uno de gran tamaño sobre la vigilia que los de Lifeline celebran mañana. Explica a Tree que estoy buscando un hogar para *Pete* y *Repeat*.

La chica tuerce el gesto.

—¿Qué, tienes algo contra unos *gatitos*? —le pregunto.

Ella arruga la nariz.

—Son los nombres *Pete* y *Repeat*. Son tan gay.

—Yo soy bisexual, y no me gusta el tono con que has dicho la palabra gay —salta Alice, tratando de asumir un tono de reproche, pero sin conseguirlo, porque suena aún más jovial que de costumbre.

—Bueno, lo siento. Sé que son los gatos de la chica que ha muerto, pero son unos nombres gay.

Al decir eso, más que una *hippy*, Tree parece una de las palurdas de nuestra ciudad. Lo cual hace que la odie más y menos al mismo tiempo.

—¿Qué nombres prefieres? —le pregunto.

Sin dudarlo, responde:

—*Click* y *Clack*. Es como los llamo mentalmente.

—¿Y *Pete* y *Repeat* te parecen ridículos? —pregunta Richard el Drogata, que aparece con un delantal cubierto de manchas y una cuchara de madera—. Yo creo que deberíamos llamarlos *Lenny* y *Steve*.

—No son nombres de gatos —protesta Alice.

—¿Por qué no? —replica Richard el Drogata, sosteniendo en alto la cuchara, cuyo contenido huele al extraño aroma que emanaba de la cocina—. ¿Quién quiere probarlo?

—¿Qué es? —pregunta Tree.

—Un cocido con todo lo que había en el frigorífico.

—De paso, podrías echar también a los gatos —sugiere Tree—. Así no tendríais que buscarles un hogar.

—Pensé que eras vegetariana —comenta Alice con tono mordaz.

Richard el Drogata me invita a compartir el horrible mejunje que ha preparado. Huele como si las especias se hubieran enzarzado en una pelea y todas hubieran perdido, aunque ese no es el motivo por el que rechazo su invitación. No estoy acostumbrada a la compañía de otras personas. No sé muy bien qué ha ocurrido. Solía tener amigos —no íntimos, pero amigos— en el colegio, en la ciudad donde vivo. Solía pasarme la vida en casa de los García. El término «solía» parece muy alejado de donde me encuentro ahora.

Dejo a los compañeros de residencia comiendo y entro en la cocina en busca de un refresco. Ayer compré un litro de Dr. Pepper y lo guardé en el frigorífico, pero Richard el Drogata, en su afán de esmerarse como cocinillas, lo ha movido todo y no lo encuentro. Por fin veo al fondo un par de latas de RC sin abrir y siento que el alma se me cae a los pies, porque la única persona que conozco que bebe eso es Meg. Lleno una vieja taza de Sonics con hielo y RC. Cuando me vaya de aquí, no quiero dejar ni una pequeña parte de ella.

Tomo mi bebida y me encamino hacia el porche, que está desierto. Pero al llegar compruebo que no es así, y me detengo tan bruscamente que derramo la bebida sobre mi camiseta.

Ben está fumándose un cigarrillo, cuya punta arde de forma amenazadora en la grisácea luz vespertina.

No sé qué me sorprende más: que el correo que le envié haya hecho su impacto en él, o que me mire como si realmente quisiera asesinarme.

Pero no le doy la oportunidad de hacerlo. Deposito mi bebida en la barandilla del porche y doy media vuelta para subir la escalera, tratando de aparentar serenidad. Imagino que ha venido a por su camiseta, de modo que se la daré. Mejor dicho, se la arrojaré a la cara y le diré que se largue.

Oigo unas pisadas sobre la grava y luego le oigo subir la escalera detrás de mí. No sé qué hacer, porque si grito pidiendo auxilio quedaré como una cobarde, pero he visto la expresión en sus ojos. Parece que no sólo ha recibido mi correo, sino también mi odio y ahora este ha vuelto a mí.

Entro en la habitación de Meg. La camiseta está sobre uno de los montones de prendas, donde la dejé. Ben me ha seguido y se detiene en la puerta. Yo le arrojo la prenda. Quiero que él y todo lo que le pertenece abandonen mi espacio. Pero se queda allí, sin moverse. La camiseta rebota contra él y cae al suelo.

—¿Qué coño te propones? —pregunta.

—¿Qué? ¿No querías tu camiseta? Pues ahí la tienes.

—¿Qué clase de persona haría algo semejante?

—¿Qué es lo que he hecho? Dijiste que querías tu camiseta...

—Corta el rollo, Cody —me interrumpe. Me sorprende oírle pronunciar mi nombre. No dice *Vaquera Cody* con su estúpido tono de flirteo. Sólo mi nombre, simple, desnudo—. Me enviaste un correo de una chica muerta. Aparte de ser cruel, ¿estás chiflada?

—Querías que te devolviera la camiseta —repito, pero estoy asustada y no lo digo con mucha convicción.

Él me mira furibundo. Aquí, bajo la pálida luz de la habitación de Meg, sus ojos tienen un color muy distinto. Entonces recuerdo el último correo que ella le envió. «No tienes que preocuparte más por mí.» Y la furia me invade de nuevo.

—¿No pudiste dejar que se quedara con un recuerdo tuyo? —pregunto—. Quizá deberías hacerlo con todas las chicas con las que has follado. Regalarles una camiseta conmemorativa. Pero ¿pedirles que te la devuelvan? Qué poco elegante.

—No sabes de qué hablas.

—Pues ilumíname.

Mi voz contiene un deje desesperado. Él tiene razón. No sé de qué hablo. De haberlo sabido, de haber estado más al tanto de lo que sucedía estos últimos meses, quizá no estaríamos aquí en estos momentos.

Ben me mira como si yo fuera algo pútrido. Me parece increíble que sea el tipo zalamero que trató de flirtear conmigo anoche.

—¿Qué ocurrió? —pregunto—. ¿Te cansaste de ella? ¿Es lo que suele sucederte con las chicas? Si hubieras llegado a conocerla bien, jamás te habrías cansado de ella. Era Meg García, ¿y quién diablos eres tú, Ben McCallister, para decirle que te dejara en paz?

Mi voz amenaza con quebrarse, pero no se lo permitiré. Ya habrá tiempo para que me derrumbe. Siempre hay tiempo para derrumbarse.

Su semblante cambia. Su rostro se endurece.

—¿Cómo sabes lo que le dije?

—Leí tu correo: «Meg, tienes que dejarme en paz». —Antes sonaba cruel. Pero ahora, dicho por mí, suena patético.

Su rostro refleja una derrota total.

—No sé qué es más repugnante: leer los correos de una chica muerta, o escribir desde el correo electrónico de una chica muerta.

—Tú eres el experto en actos repugnantes —contesto, como una escolar de primaria.

Ben me mira meneando la cabeza. Luego se marcha, dejando su preciada camiseta en el suelo, como un trapo viejo y desechado.

7

No consigo calmarme hasta al cabo de una hora de haberse marchado Ben. Y pasa otra hora hasta que reúno el valor necesario para encender de nuevo el ordenador portátil de Meg. Ben tenía razón en una cosa: yo no sabía de qué estaba hablando. Lo dijo en un tono como si mi amiga hubiera hecho algo para merecer que se comportara con ella como un cretino. Conozco a Meg. Y conozco a tipos como Ben. He visto a varios pasar por la vida de Tricia a lo largo de los años.

Abro de nuevo el programa de correo electrónico de Meg y entro en la carpeta de enviados, pero lo único que veo son unos correos anteriores, los de noviembre: mensajes en tono de flirteo, comentarios sobre qué músico compuso las mejores canciones, quién era el mejor batería, qué banda era la más sobrevalorada, cuál la más subestimada. De pronto, antes de las vacaciones, la comunicación cesa bruscamente. No es preciso ser un genio para comprender lo ocurrido: Meg y Ben se acostaron. Luego él rompió con ella.

Pero lo que está menos claro es esta laguna en los mensajes de ella. Recuerdo que no mantuvimos una correspondencia muy frecuente en invierno, pero estoy segura de que me escribió varios correos. Entro en mi programa de correo electrónico para cerciorarme de que no son imaginaciones mías, y aunque el mes de enero está en blanco, en mi bandeja de entrada hay mensajes suyos que me envió en febrero. Pero esos mensajes no aparecen en su carpeta de correos enviados.

Es muy raro. ¿Tenía su ordenador algún virus que eliminó los mensajes de varias semanas? ¿O trasladó ella sus mensajes a otro lugar? Examino sus otras aplicaciones, sin saber muy bien qué busco. Abro su calendario, pero está vacío. Miro la papelera, pensando que quizá los archivos eliminados estén allí. La papelera contiene varios archivos, pero sin importancia. Hay uno que no tiene título. Cuando trato de abrirlo, el ordenador dice que no puedo hacerlo en la papelera. Arrastro el archivo hasta el escritorio y vuelvo a intentarlo, pero esta vez recibo el mensaje de que el archivo está encriptado. Temo que quizá contenga un virus que se cargue su ordenador, de modo que vuelvo a arrastrarlo hasta la papelera.

Son sólo las nueve y media y no he comido nada y tengo sed, pero no tengo ganas de volver a bajar. De modo que me quito la ropa y me tumbo en la cama de Meg, cosa que me sobrecoge, pero lo que necesito en estos momentos es estar en contacto con sábanas que huelen a ella. Sé que si duermo aquí, mi olor se mezclará con el suyo, pero no importa. En cualquier caso, antes siempre ocurría así.

8

A la mañana siguiente me despierto al oír unos golpecitos en la puerta. El sol penetra a raudales a través de la persiana. Me incorporo en la cama; sigo adormilada.

Más golpecitos en la puerta.

—Pasa —digo con voz ronca.

Alice aparece sosteniendo en la mano una taza de café, sin duda cultivado a mano por enanos nicaragüenses.

Me froto los ojos y acepto el café con un gruñido de gratitud.

—¿Qué hora es?

—Mediodía.

—¿Ya? He dormido catorce horas.

—Lo sé. —Mira alrededor de la habitación—. Quizá no fuera culpa de Meg. Puede que esta habitación sea como el campo de amapolas en *El mago de Oz,* que produce un efecto soporífero.

—¿A qué te refieres?

—Meg dormía mucho. Se pasaba el día durmiendo. Cuando no estaba con sus amigos «guay» de Seattle —Alice traza unas comillas en el aire con los dedos—, estaba durmiendo.

—A ella le gusta..., le gustaba dormir. Tenía tanta vitalidad, que necesitaba dormir para rejuvenecer.

Alice no parece convencida.

—Nunca he conocido a nadie que durmiera tanto como ella.

—Además, en cuarto de secundaria contrajo mononucleosis —le explico, y en cuanto lo digo, recuerdo que fue un año espantoso. Meg se ausentaba durante meses enteros del colegio, hasta el punto de que estaba tan postrada que tuvo que estudiar en su casa por su cuenta.

—¿Mononucleosis? —pregunta Alice—. ¿Y eso hacía que incluso ahora se sintiera tan cansada?

—Estuvo muy grave —contesto, recordando que los García no me dejaban que fuera a visitarla por temor a que me contagiara.

—Suena más como el virus de Epstein-Barr o algo parecido. —Se sienta en el borde de la cama—. No lo sabía. No la conocía muy bien.

—Sólo hace unos pocos meses que te has mudado aquí.

Ella se encoge de hombros.

—Conozco a los otros. No creo que ellos la conocieran tampoco. Meg era un poco distante.

Si Meg te quería, te quería, y si no... No soportaba a la gente estúpida.

—Tenías que esforzarte en conocerla.

—Lo hice —insiste Alice.

—No debisteis poner mucho empeño. No creo que fuera un torrente de cariño lo que indujo a alguien a pegar la carátula de ese álbum en la puerta.

Los ojos de bambi de Alice se llenan de lágrimas.

—Nosotros no la pegamos. Lo hizo ella. Y nos dijo que no la quitáramos.

De modo que fue Meg quien pegó la carátula en la puerta. Estoy convencida de que los expertos lo llamarían un signo de advertencia, una llamada de auxilio, pero es difícil no ver en ello su retorcido sentido del humor. Una última tarjeta de visita.

—Ya —digo—. Tiene sentido.

—¿Tú crees? —pregunta Alice—. A mí me pareció muy morboso. Pero como he dicho, no la conocía bien. Probablemente he pasado más tiempo contigo que con ella —añade con tono melancólico.

—Me gustaría decir que no te has perdido mucho, pero no es así.

—Háblame de ella. ¿Cómo era?

—¿Que cómo era?

La chica asiente con la cabeza.

—Era... —Abro los brazos como para abarcar unas posibilidades infinitas. No sé si esto describe a Meg, o si era lo que yo sentía cuando estaba en su presencia.

Alice me mira animándome a continuar. De modo que le cuento más cosas. Le hablo de la vez en que las dos conseguimos trabajos de temporada como teleoperadoras —el trabajo más aburrido del mundo— y que para divertirnos ella utilizaba distintas voces cuando llamaba la gente. Las utilizaba con tal maestría, y conseguía tantas ventas, que superaba su cuota diaria y su jefe dejaba que se fuera a casa antes de la hora establecida.

Le hablo sobre la vez en que el presupuesto de nuestra biblioteca local quedó tan recortado que sólo podía abrir tres días a la semana, lo cual representaba un problema para mí porque cuando no estaba en casa de los García, prácticamente vivía en la biblioteca. Meg no la utilizaba tanto como yo, pero eso no le impidió emprender acciones para evitar que cerrara. Se las ingenió para que una de las bandas relativamente conocidas, que ahora es muy famosa, que había descubierto a través de su blog, actuara en Matad a las Estrellas del *Rock*, No a los Libros, un concierto benéfico que atrajo a muchas gente de diversos lugares a nuestra ciudad y recaudó unos doce mil dólares, lo cual fue genial. Y como la banda ya tenía un nombre, y la foto de Meg en el póster de reclamo resultaba tan atractiva, atrajimos muchísima atención por parte de la prensa nacional, y la biblioteca tuvo que ampliar su horario de apertura.

Le hablo sobre la vez en que Scottie, que era muy caprichoso para comer, se volvió anémico. Los médicos dijeron que tenía que comer más alimentos ricos en hierro, y Sue estaba desesperada porque era imposible lograr que el niño comiera de forma saludable. Pero Meg sabía que su hermano estaba obsesionado con los tractores, de modo que en eBay compró unos moldes de comida en forma de tractores y le servía en ellos el puré de patata con carne y espinacas que preparaba y que él se comía sin rechistar.

Recuerdo también la vez en que Tricia y yo tuvimos una pelea tremenda y me fugué para ir en busca de mi padre, aunque ella me aseguró que se había mudado a otra ciudad hacía años. Llegué hasta Lake Moses poco antes de quedarme sin dinero y sin ánimos para continuar, y justo cuando me vine abajo y empecé a lloriquear, aparecieron Meg y Joe en el coche. Habían seguido al autocar que yo había tomado. Pero eso no se lo cuento a Alice. Porque es el tipo de anécdota que compartes con una buena amiga. Y sólo he tenido una buena amiga.

—Así era Meg —digo, concluyendo—. Era capaz de todo. De resolver cualquier problema para quien fuera.

Alice hace una pausa para digerir mis palabras.

—Salvo para ella misma.

9

El último Espectáculo Funeral por Megan Luisa García se celebra en un pequeño promontorio junto al Sound. Un guitarrista y un violinista tocan la canción de Joan Osborne titulada «Lumina». Alguien lee unos pasajes de Kahlil Gibran. No asiste mucha gente, apenas una veintena de personas, vestidas de modo informal. El tipo que dirige el evento es del centro orientador del campus, pero, por fortuna, no lo convierte en un anuncio de servicio público de prevención del suicidio, enumerando todas las señales de alarma que ninguno de nosotros captamos. Habla sobre la desesperación, que fructifica en el silencio. Es una de las cosas que induce a personas como Meg a hacer lo que hacen, y posteriormente la desesperación que deja tras de sí —incluso en personas que no la conocieron— debe ser reconocida y sentida.

Luego mira al grupo de personas que nos hemos congregado aquí, y aunque no lo conozco, y aunque estoy sentada en una esquina junto a Alice, y aunque he accedido de mala gana a asistir a este evento porque lamento haber acusado a Alice de pegar la carátula de Poison Idea en la puerta, sus ojos se posan en mí.

—Sé que muchos de nosotros tratamos de encontrar algún sentido a esto. El hecho de que no conociéramos bien a Meg quizás haga que el dolor sea menor, pero es muy duro asimilar lo ocurrido. Me han dicho que tenemos aquí a su buena amiga Cody, quien imagino que también está tratando de afrontar lo ocurrido.

Fulmino a Alice con la mirada porque está claro que ha sido ella quien le ha hablado de mí, pero me la sostiene sin inmutarse.

El tipo que pronuncia el discurso continúa:

—Cody, permite que te invite a compartir con nosotros, si lo deseas, algo referente a Meg. O a compartir con nosotros lo que estás pasando.

—No pienso levantarme y hablar —murmuro a Alice entre dientes.

Ella me mira con gesto inocente.

—Lo que me dijiste me ayudó mucho. Pensé que quizá querrías ayudar a otras personas. Y a ti misma.

Todos me miran. Siento deseos de matar a Alice, quien me anima para que me levante.

—Cuéntales lo de la biblioteca, lo de la comida que le preparaba a su hermano —murmura.

Pero cuando me levanto y me dirijo a los asistentes, lo que surge de mi boca no son simpáticas anécdotas sobre bibliotecas o bandas musicales o niños caprichosos para comer.

—¿Queréis que os cuente algo sobre Meg? —pregunto.

Es una pregunta retórica, y mi voz destila sarcasmo, pero esos inocentes corderitos asienten con la cabeza para animarme.

—Meg era mi mejor amiga, y creí que lo éramos todo la una para la otra. Creí que nos lo contábamos todo. Pero resulta que no la conocía en absoluto. —Siento en la boca el sabor de algo duro y metálico. Es un sabor desagradable, pero me deleito con él como te deleitas con el sabor de tu sangre cuando pierdes un diente—. No sabía nada sobre su vida aquí. No sabía nada sobre sus clases, ni sobre sus compañeros de residencia. Ni que había adoptado a dos gatitos enfermos y había cuidado de ellos, devolviéndoles la salud, para luego dejarlos huérfanos. No sabía que frecuentaba clubes en Seattle y que tenía amigos allí y que se enamoraba de sujetos que le partían el corazón. Yo era supuestamente su mejor amiga y no sabía nada de esto porque ella no me lo había contado.

»No me dijo que la vida le resultaba insoportablemente dolorosa. Yo no tenía la más mínima idea. —De mis labios brota un sonido semejante a una carcajada, y comprendo que si no me ando con cuidado, diré algo que nadie desea oír—. ¿Cómo puedes no saber algo sobre tu mejor amiga? ¿Cómo puedes pensar que una persona es bella e increíble y el ser más mágico que jamás has conocido, cuando resulta que sufría tanto que ingirió un veneno que robó el oxígeno de sus células hasta que su corazón dejó de latir? Así que no me preguntéis por Meg. Porque no sé una mierda sobre ella.

Alguien sofoca una exclamación de asombro. Miro a los asistentes, bañados en una luz veteada. Hace un día espléndido, rebosante de la promesa de primavera: un cielo despejado, unas nubes vaporosas, el perfume de las primeras flores que transporta la brisa. Es injusto que haga un día tan magnífico. Que la primavera esté a las puertas. Una parte de mí había pensado que este año sería siempre invierno.

Veo que algunas personas lloran. Yo las he hecho llorar. Me he convertido en tóxica. Si me bebéis, moriréis.

—Lo siento —digo antes de salir corriendo.

Abandono a la carrera el césped donde se ha celebrado la ceremonia, dirigiéndome hacia el parque, hacia la calle mayor. Tengo que salir de aquí. De Tacoma. Del mundo de Meg.

Oigo pasos a mi espalda. Probablemente es Alice, o Richard el Drogata, pero no tengo nada que decirles, de modo que sigo corriendo, pero la persona que me sigue es más veloz que yo.

Siento una mano en mi hombro. Me vuelvo rápidamente. Esta vez, sus ojos son del color del cielo al atardecer, casi violeta. Jamás he conocido a nadie cuyos ojos cambien de color, como si reflejaran el estado de su alma. Suponiendo que tenga un alma.

Nos miramos durante un minuto, conteniendo el aliento.

—Puedo contarte algunas cosas. Si quieres. —Su voz es áspera, pero detecto cierta vacilación.

—No quiero saber *esas* cosas.

Él menea la cabeza.

—No me refiero a eso. Pero puedo contarte cosas. Si quieres. Sobre su vida aquí.

—¿Qué vas a saber tú cuando Meg fue tan sólo un ligue de una noche?

Él mueve la cabeza para indicar que nos alejemos.

—Es mejor que hablemos en otro sitio.

—¿Por qué has venido?

—Su compañera de residencia me dio una invitación —dice Ben, respondiendo a cómo averiguó que iba a celebrarse la ceremonia, pero no por qué ha venido.

Ni él ni yo nos movemos.

—Anda, vamos a hablar a algún sitio —propone.

—¿Por qué? ¿Sabes por qué se suicidó?

Él recula. Como el culatazo de una pistola. Ha vuelto a hacerlo. Como si alguien tirara de él hacia atrás. Pero esta vez su rostro no muestra furia, sino otra emoción.

—No —responde.

Caminamos un trecho hasta que llegamos a un McDonald's. De pronto me siento famélica, tengo hambre de algo que no es vegetariano ni orgánico ni saludable, sino fruto del sufrimiento cotidiano. Los dos pedimos el menú que incluye una hamburguesa de un cuarto de libra a precio de oferta y nos sentamos a una discreta mesa junto a la zona de juegos, que está desierta.

Comemos en silencio un rato. Luego Ben empieza a hablar. Me cuenta cómo se introdujo Meg en la escena de las bandas musicales independientes, que enseguida trabó amistad con muchos músicos locales, muy típico de ella. Me cuenta lo fácil que le resultó, a una universitaria de dieciocho años de una ciudad provinciana del este de Washington, conseguir que todo el mundo comiera de su mano, también muy típico de Meg. Al principio él tenía celos de ella, porque hacía dos años que había llegado aquí desde Bend, Oregón, y sentía que la comunidad musical le había ninguneado antes de permitir que tocara en público. Me habla sobre las falsas peleas que tenían sobre quién era el mejor batería: Keith Moon o John Bonham. Quién era el mejor guitarrista: Jimi Hendrix o Ry Cooder. Quién componía las canciones más pegadizas del mundo: Nirvana o los Rolling Stones. Me cuenta que Meg había adoptado a los gatitos al oírlos gemir dentro de una caja en un contenedor de basura cerca del refugio de indigentes del centro de Tacoma, donde ella trabajaba unas horas a la semana. Los sacó del contenedor, los llevó al veterinario y se gastó varios centenares de dólares para que se curaran. Me cuenta que pidió a los músicos más conocidos de la ciudad que contribuyeran económicamente para costear el tratamiento (de nuevo, algo muy típico de Meg) y que los alimentaba con leche en polvo para bebés con un cuentagotas porque eran demasiado pequeños para comer alimento para gatos. De todas las cosas que me cuenta Ben, esta imagen de Meg dando de comer a los gatitos huérfanos es la que hace que me den ganas de llorar.

Pero no lo hago.

—¿Por qué me cuentas todo esto? —pregunto. Ahora es mi voz la que suena áspera.

La cajetilla de cigarrillos de Ben está sobre la mesa, y en vez de fumarse uno, enciende y apaga continuamente el encendedor, haciendo que la llama emita un sonido sibilante cada vez que lo enciende.

—Creí que te gustaría saberlo —responde en un tono que parece una acusación.

—¿Por qué me cuentas todo esto? —insisto.

La llama del encendedor ilumina durante unos instantes sus ojos. De nuevo, observo en ellos sombras de culpa. La de Ben, como la mía, está teñida de una furia incandescente, más abrasadora que el fuego con el que está jugando.

—Ella me habló de ti —dice.

—¿Ah, sí? A mí no me habló de ti. —Es mentira, por supuesto, pero no quiero darle la satisfacción de que sepa que ella le había puesto un apodo. En cualquier caso, él no fue el personaje trágico aquí.

—Me contó que en una de las casas donde vas a limpiar un tipo trató de tocarte el culo y tú le torciste el brazo con tal violencia que aulló de dolor y te subió el sueldo.

Sí, me ocurrió con el señor Purdue. Un aumento de diez dólares semanales. Es lo que vale que me toquen el culo sin que yo quiera.

—Ella te llamaba Buffy.

Más que el episodio con el señor Purdue, eso me convence de que Meg le habló de mí. Me llamaba Buffy cuando pensaba que yo había hecho algo especialmente genial, al estilo de Buffy Summers, la Cazavampiros. Ella decía que era Willow, la compi mágica de Buffy, pero se equivocaba: ella era Buffy *y* Willow, la fuerza y la magia, en una misma persona. Yo la admiraba y gozaba con sus triunfos.

Me disgusta que Ben sepa eso de mí, es como si tuviera unas bochornosas fotos de mí desnuda cuando era bebé. Unos detalles que no tiene derecho a saber.

—Te contó muchas cosas para ser el ligue de una noche —digo.

Él me mira dolido. Ben McCallister es un actor de primera.

—Éramos amigos.

—No creo que «amigos» sea la palabra adecuada.

—En serio —insiste él—. Antes de que todo se fuera a la mierda, éramos amigos.

Los correos electrónicos. El flirteo. Los comentarios sobre música *rock*. El brusco cambio.

—¿Qué pasó? —pregunto, aunque ya sé lo que pasó.

No obstante, me choca oírselo decir, la forma en que lo dice:

—Que follamos.

—Os acostasteis —le corrijo. Porque de eso estoy convencida. Sé que Meg, después de lo que ocurrió la otra vez, jamás lo hubiera hecho con nadie a menos que estuviera enamorada de él—. Meg no follaría con un tío así como así.

—Pues follamos —repite Ben—. Y cuando te follas a una amiga, todo se va a la mierda. —Enciende y apaga de nuevo el encendedor—. Sabía que ocurriría, pero aún así lo hice.

Este alarde de sinceridad resulta a la vez repulsivo y magnético, como un terrible accidente de coche que no puedes evitar contemplar, aunque sabes que luego tendrás pesadillas.

—¿Por qué lo hiciste si sabías que destruirías tu relación con ella?

Ben suspira y menea la cabeza.

—Ya sabes lo que ocurre, cuando las cosas suceden de forma imprevista y no piensas en las consecuencias. —Me mira, pero lo cierto es que no lo sé. Aunque esto pueda sorprender a algunos, no lo he hecho nunca. Cuando creces con el convencimiento de que eres gentuza, haces lo que sea con tal de evitar la trampa familiar. Aunque la mayoría de las veces resulte inevitable. Pero no voy a contribuir a mi perdición acostándome con uno de los perdedores de Shitburg.

No digo nada, sino que me limito a contemplar la zona de juegos desierta.

—Sólo lo hicimos una vez, pero fue suficiente. A partir de ahí, todo se fue al carajo.

—¿Cuándo? —pregunto.

—No lo sé. Alrededor del Día de Acción de Gracias. ¿Por qué?

Eso tiene sentido. El correo que me envió Meg sobre «acostarse con el barman» llegó antes de las vacaciones. Pero ¿y los gatitos? Los encontró después de las vacaciones de invierno. Y el incidente con el señor Purdue, cuando este me tocó el culo, sucedió en febrero, unas semanas antes de que ella muriera.

—Pero si las cosas se estropearon hace tiempo, ¿cómo sabes todo eso sobre los gatos? Y sobre mí.

—Creí que habías leído los correos.

—Sólo un par.

Ben tuerce el gesto.

—¿No leíste todas las cosas que me escribió?

—No. Faltan muchos correos suyos, entre enero y la semana antes de que muriera.

Su semblante muestra perplejidad.

—¿Has traído un ordenador?

—Puedo utilizar el de Meg. En su habitación.

Ben hace una pausa, como si estuviera pensando en algo. Luego estruja los envases vacíos de lo que hemos comido.

—Vamos.

De regreso en la habitación de Meg, Ben se conecta a su cuenta personal de correo electrónico. Introduce el nombre de ella en el buscador y la pantalla se llena de correos. Se levanta de la silla para que me siente yo. *Repeat* entra corriendo por la puerta abierta y se pone a arañar las cajas de cartón.

Empiezo por el principio, los mensajes en tono de flirteo, los comentarios sobre Keith Moon y los Rolling Stones. Miro a Ben.

—Sigue —me dice.

Yo obedezco. El flirteo se intensifica. Los correos se hacen más largos. Luego, se acuestan. Es como una línea negra trazada en el espacio. Porque a partir de ahí, los correos de Ben son más distantes y los de Meg un tanto desesperados. Luego se vuelven muy extraños. Quizá si me los hubiera escrito a mí no me parecerían tan extraños. Pero iban dirigidos a Ben, un tipo con el que se había acostado. Le escribió unos correos larguísimos, páginas y páginas sobre su vida, los gatos, yo; parecen las entradas muy detalladas de un diario. Cuanto más trataba él de distanciarse de ella, más mensajes le escribía ella. No es que no se diera cuenta de la situación. Está claro que sabía que lo que hacía resultaba un tanto chocante porque algunos correos ocupaban ocho o diez páginas, y en ellos se reflejaba la necesidad de que él la tranquilizara. «Seguimos siendo amigos, ¿verdad?» Era como si le pidiera permiso para continuar contándole todas sus cosas. Al leer estos correos me siento abochornada, incluso por ella. ¿Es por esto que Meg eliminó los correos que ella le había enviado?

Los correos que escribió a Ben continúan de esta forma, cada pocos días, durante varias semanas, y es imposible leerlos todos, no sólo debido a su extensión, sino porque me producen una angustiosa opresión en el estómago. Los correos contienen referencias a mensajes de texto y llamadas telefónicas que ella le ha hecho. Cuando le pregunto si lo llamaba con frecuencia, no me responde. Entonces veo uno de los últimos correos que él le envió: «Búscate a otra persona con quien hablar», le dijo. Poco después le envía ese correo, «Tienes que dejarme en paz». Entonces recuerdo el último correo que ella le envió: «No tienes que preocuparte más por mí».

Tengo que parar. Él me mira con una expresión que no me gusta. Prefiero su actitud chulesca de gilipollas de hace unas noches. Porque quiero odiar a Ben McCallister. No quiero que me mire con dulzura. No quiero que muestre un aspecto vulnerable, casi desesperado, como si necesitara que yo le tranquilice. Y no quiero que tenga un gesto generoso, como ofrecerse a adoptar a los gatitos, que es justamente lo que hace.

Yo lo miro como preguntándole, *¿Quién eres?*

—Los dejaré en casa de mi madre la próxima vez que vaya a Bend. Su casa casi parece un zoológico, de modo que no le importará que le lleve otros dos animalitos callejeros.

—¿Y qué harás con ellos hasta entonces? —pregunto.

—Comparto una casa en Seattle. Tiene jardín, y mis compañeros son veganos, grandes defensores de los derechos de los animales, de modo que no se opondrán so pena de quedar como unos hipócritas.

—¿Por qué haces esto? —pregunto. No sé por qué pongo en duda sus buenas intenciones. Tengo que encontrar un hogar para los gatos. Ben es el único que se ha ofrecido a adoptarlos. Debería callarme y aceptar.

—Te lo acabo de explicar —responde. Me alivia oír de nuevo el gruñido en su voz.

Pero por la forma en que mira todo lo que hay en la habitación, excepto a mí, creo que sabe que en realidad no me ha explicado sus motivos. Y por la forma en que yo miro todo lo que hay en la habitación, excepto a él, me doy cuenta de que en realidad no es necesario que lo haga.

A la mañana siguiente Ben se pasa por casa para recoger a los gatos mientras yo termino de sellar con cinta adhesiva las últimas cajas. Meto a *Pete* y a *Repeat* en el trasportín, recojo sus juguetes y se los entrego.

—¿Adónde te diriges? —me pregunta.

—A las oficinas de UPS y a la terminal de autocares.

—Puedo llevarte en el coche.

—Déjalo. Pediré un taxi.

Uno de los gatos maúlla dentro del trasportín.

—No seas tonta —dice Ben—. Tendrás que coger dos taxis.

Temo que se desdiga de su ofrecimiento de adoptar a los gatos y por eso se ofrece para llevarme en su coche, pero empieza a meter las bolsas en el maletero y a colocar a los gatos en el asiento posterior. El coche está hecho una porquería, lleno de latas vacías de Red Bull, y apesta a tabaco. En el asiento trasero hay una chaqueta de punto bordada con cuentas, hecha una bola.

El misterioso compañero de residencia Harry Kang nos ayuda a transportar las cajas hasta el coche, y aunque no hemos intercambiado ni dos palabras durante mi estancia, me toma la mano y dice:

—Por favor, di a la familia de Meg que mi familia ha rezado por ellos todos los días. —Me mira unos momentos y añade—: Les diré que recen también por ti.

Y aunque la gente no ha parado de decirme esas cosas desde que murió Meg, las inesperadas palabras de Harry hacen que se me forme un nudo en la garganta.

Pete y *Repeat* no dejan de maullar durante todo el trayecto hasta las oficinas de UPS, y Ben se queda con ellos dentro del coche mientras yo envío las cajas. Luego me lleva a la terminal justo a tiempo para tomar el autocar de la una de la tarde. Llegaré a casa a la hora de cenar. Aunque no espero encontrar cena preparada.

Los gatos siguen maullando sin parar, y cuando llegamos a la terminal de autocares, el coche apesta como si uno de ellos se hubieran hecho pis. A estas alturas estoy convencida de que Ben va a decirme que ha cambiado de parecer y que su ofrecimiento de adoptar a los gatos era básicamente su venganza por el correo que le envié a propósito de su camiseta.

Pero no lo hace. Cuando abro la puerta frente a la terminal de autocares, dice con voz queda:

—Cuídate mucho, Cody.

De repente deseo llevarme a los gatos. La idea de regresar a casa sola me angustia. Por más que deseo poner muchos kilómetros entre Ben McCallister y yo, ahora que estoy a punto de hacerlo me doy cuenta del alivio que ha supuesto compartir este peso con otra persona.

—Vale. Tú también —le digo—. Que te vaya bien en la vida.

No es lo que quería decir. Suena demasiado frívolo. Pero quizá sea lo mejor que puedes desearle a alguien.

10

El autocar sufre un reventón en las montañas, por lo que pierdo mi enlace en Ellensburg y llego a casa pasada la medianoche. Duermo hasta las ocho, voy a limpiar la casa de los Thomas y luego, por la noche, llevo las dos bolsas a los García.

Llamo al timbre, que es algo que hago rara vez, y me abre Scottie. Le pregunto cómo va todo, aunque no es necesario hacerlo porque huelo a mantequilla.

—Magdalenas —dice.

—Qué ricas —digo, tratando de mostrarme animada.

Scottie sacude la cabeza.

—Nunca pensé que diría esto, pero ahora mismo preferiría comer bróquil.

Al verme, Joe y Sue vacilan unos instantes, como si no les trajera la ropa y los libros de Meg, sino a la propia Meg. Luego se acercan, me dan las gracias y ella rompe a llorar en silencio, como si la emoción la desbordara. Sé que me quieren. Sue siempre ha dicho que me quiere como a una hija, pero ahora que ha perdido a la suya es distinto.

Me vuelvo hacia Scottie. Si esto es duro para mí, para él es peor. De modo que digo, como si fuera Papá Noel abriendo los regalos:

—¿Quieres que miremos lo que he traído?

Pero nadie quiere mirar lo que he traído. De modo que saco el ordenador portátil de Meg, que he transportado aparte en mi mochila, y se lo ofrezco a Joe y a Sue. Ellos se miran y luego menean la cabeza.

—Hemos hablado de ello —dice él—, y queremos que te lo quedes tú.

—¿Yo? —Sé que es un ordenador muy caro—. No puedo.

—Por favor, queremos que lo tengas —insiste Sue.

—¿Y Scottie?

—Scottie tiene diez años —responde Joe—. Nosotros tenemos el ordenador de la familia. Él tendrá el suyo cuando sea mayor.

El rostro de Sue se descompone, como si ya no creyera en la promesa del tiempo. Pero recobra la serenidad y dice:

—Lo necesitarás cuando vayas a la universidad.

Yo asiento con la cabeza, y todos fingimos que eso sucederá realmente.

—Es demasiado —comento.

—Acéptalo, Cody —dice Joe casi con rudeza. Entonces comprendo que el hecho de que me ofrezcan el ordenador en realidad no es un regalo. Pero el hecho de que yo lo acepte quizá lo sea.

Cuando llega el momento de marcharme, Sue envuelve una docena de magdalenas para que me las lleve. Están recubiertas de escarcha rosa y dorada, colores que relatan una historia de dulzura y alegría. Hasta la comida miente.

Scottie saca a *Samson* a dar un paseo y me acompaña la mitad del trecho hasta casa.

—Siento lo del ordenador, Runtmeyer.

—Da lo mismo. Puedo jugar con mi videoconsola.

—Puedes venir a casa y enseñarme a jugar a uno de tus juegos.

El niño me mira muy serio.

—De acuerdo. Pero no quiero que me dejes ganar. Tengo la impresión de que la gente me deja ganar porque soy el hermano de la chica que ha muerto.

Asiento con la cabeza.

—Yo soy la mejor amiga de la chica que ha muerto. De modo que estamos empatados. Eso me permite darte una paliza.

Es la primera vez que veo sonreír de nuevo a Scottie.

Cuando llego a casa, Tricia está calentando en el microondas un plato precocinado de comida dietética.

—¿Quieres un poco? —me pregunta. Es a lo máximo que llega en sus quehaceres como madre.

Nos sentamos a comer pollo oriental, y le enseño el ordenador portátil. Ella desliza las manos sobre él, impresionada, y me preguntó si le molesta que los García me hayan dado otra cosa que ella no puede darme. Además de todas las comidas y cenas, los viajes familiares a un campin, todo lo que me dieron cuando ella estaba trabajando en el bar o había salido con uno de sus novios.

—Nunca he sabido manejar uno de estos chismes —dice.

Yo sacudo la cabeza.

—Es increíble que aún no sepas utilizar un ordenador.

Ella se encoge de hombros.

—He llegado hasta aquí. Y sé enviar un mensaje de texto. Raymond me ha enseñado.

Me abstengo de preguntar quién es Raymond. No necesito saber que es su último Chico. Tricia nunca se ha molestado en traerlos a casa, o en presentármelos, a menos que nos tropecemos con ellos. Lo cual me parece bien. Generalmente, para cuando aprendo a decir el nombre del tipo de turno, este ya la ha dejado.

Terminamos de cenar. Ella no quiere una de las magdalenas de Sue porque engordan, y a mí tampoco me apetecen, de modo que Tricia saca unos bombones helados bajos en calorías sólo moderadamente deteriorados por haberse roto el envoltorio.

—¿Qué hiciste con los gatos? —me pregunta.

—¿Qué?

—Me preguntaste si podíamos tener gatos en casa. ¿Tratas de llenar el vacío que ha dejado Meg adoptando mascotas?

Yo me atraganto con el bombón helado.

—No. —Entonces casi le digo, porque quiero hablar a alguien de los gatos de Meg, que yo no sabía nada sobre su vida. Pero estoy segura de que los García tampoco lo sabían. Y esta ciudad es muy pequeña; si explico a Tricia lo de los gatos, ella se lo contará inevitablemente a otra persona, y Joe y Sue acabarán enterándose—. Eran sólo dos gatitos que necesitaban un hogar.

Menea la cabeza.

—No puedes acoger a todas las criaturas desvalidas.

Lo dice como si la gente no parara de llamar a nuestra puerta en busca de un lugar cálido y acogedor donde refugiarse, cuando, de hecho, las desvalidas somos nosotras.

11

Un asesor académico del centro universitario me deja un mensaje diciendo que están al tanto de mis «circunstancias extenuantes» y que, si quiero ir a hablar con ellos, me ayudarán a hallar la forma de solventar mi situación. Madison, una chica que había sido compañera mía en la mayoría de mis clases en el colegio, también me llama y deja otro mensaje. «¿Estás bien?»

No respondo a ninguna de las llamadas. Me centro en mi trabajo de asistenta, aceptando otras casas, que ahora son seis a la semana, lo que supone un buen dinero. El ordenador portátil de Meg está en mi mesa, junto con el resto de mis libros de texto, mientras el polvo se acumula sobre ellos. Hasta que una tarde suena el timbre de la puerta. En el porche está Scottie, con *Samson*, que está atado a la barandilla.

—He venido a aceptar tu oferta de darme una paliza —dice.

—Entra.

Encendemos el ordenador.

—¿A qué vamos a jugar? —pregunto.

—Creo que deberíamos empezar con Soldado de Soledad.

—¿Eso qué es?

—Ahora lo verás. —Scottie hace clic en el icono de Internet—. Hmm. —Pulsa otras teclas—. No encuentro tu red. Quizá debamos reiniciar el *router*.

Yo sacudo la cabeza.

—No hay ningún *router*, Scottie. No tenemos acceso a Internet.

El niño me mira y luego mira a su alrededor como recordando quién soy yo, quién es Tricia.

—Vale. Podemos jugar a algo en tu ordenador. —Desliza de nuevo el ordenador hacia sí—. ¿Qué juegos tienes?

—No lo sé. Depende de si Meg tenía algunos.

Nos miramos y casi sonreímos. Meg odiaba los videojuegos. Decía que se cargaban nuestras valiosas células cerebrales. Como era de esperar, en su ordenador no hay nada, salvo los programas con que estaba configurado.

—Podemos hacer un solitario —apunto.

—No puedes hacer un solitario con dos personas —dice Scottie—. Por eso se llama solitario.

Tengo la sensación de que le he decepcionado. Empiezo a cerrar el ordenador. Pero él me detiene.

—¿Te envió la nota desde aquí?

Scottie tiene diez años. Estoy segura de que no es sano que un chaval de su edad hable de estas cosas. Al menos, conmigo. Cierro el ordenador.

—Nadie me dice nada, Cody.

Su tono es quejumbroso. Recuerdo la nota de despedida que ella le envió, también desde este ordenador.

—Sí, es el ordenador desde el que me envió la nota.

—¿Puedo verla?

—Scottie…

—Sé que todo el mundo quiere proteger mi inocencia, pero mi hermana bebió veneno. Es un poco tarde.

Yo suspiro. Guardo una copia de su nota en la caja debajo de mi cama, pero sé que no es eso lo que él quiere ver. Sé que ha visto la nota, o la ha leído, o le han hablado de ella. Quiere ver su origen. Abro la carpeta de correos enviados. Le enseño la nota. El niño se acerca a la pantalla y la lee.

—¿No te pareció raro que dijera que «ella misma» había tomado la decisión?

Muevo la cabeza en sentido negativo. No se me había ocurrido.

—Cuando nos pillaban por alguna trastada que habíamos hecho juntos y ella quería evitarme problemas, decía a nuestros padres: «Scottie no ha tenido nada que ver en esto. La decisión la tomé yo». Lo hacía para protegerme.

Recuerdo todas las veces en que Meg involucró a Scottie en una de sus trastadas y luego trató de librarlo del castigo. Ella siempre se echaba la culpa de todo. La mayoría de las veces, justificadamente. Sigo sin entender a qué se refiere Scottie, de modo que el niño de diez años tiene que explicármelo.

—Casi parece que esté protegiendo a alguien.

12

Cuando Scottie se marcha, releo los correos de Meg. Ha eliminado muchos, cosa que no comprendo. ¿Por qué ha eliminado sólo los correos enviados y no los que hay en la bandeja de entrada? ¿O ha eliminado también algunos correos de su bandeja de entrada y no sé lo que estoy buscando? ¿Por qué esas seis semanas de silencio? ¿Qué más ha eliminado? ¿Hay algún medio de recuperar los mensajes antiguos? ¿Han desaparecido para siempre? No tengo ni idea. No conozco a nadie que pueda aclarármelo.

Entonces me acuerdo de Harry Kang. El compañero de residencia de Meg, que estudia informática. Busco el papelito en el que Alice apuntó su teléfono móvil y la llamo. No responde, de modo que dejo un mensaje pidiéndole que diga a Harry que me llame.

A la mañana siguiente, a las ocho menos cuarto, suena mi teléfono, despertándome.

—Hola. —Mi voz suena grogui.

—Soy Harry Kang —dice.

Me incorporo en la cama.

—Hola, Harry. Soy Cody.

—Lo sé. Te he llamado.

—Ya. Gracias. Mira, no sé si puedes ayudarme, pero tengo un ordenador y trato de encontrar unos correos que han sido eliminados.

—¿Me has llamado porque tu ordenador se ha estropeado?

—No es mío. Es el de Meg. Quiero recuperar unos archivos que creo que ella trató de eliminar.

Él guarda silencio por un momento.

—¿Qué tipo de archivos?

Le explico que faltan unos mensajes enviados que quiero recuperar, y otros mensajes que ella pudo haber borrado.

—Es posible hacerlo utilizando un programa de recuperación de datos. Pero si Meg quería eliminar esos archivos, quizá deberías respetar su privacidad.

—Lo sé. Pero hay algo en su nota de suicidio que me hace pensar que quizá no actuó sola, y faltan muchos correos. Me da mala espina.

Se produce un momento de silencio.

—¿Te refieres a que alguien pudo haberla coaccionado?

¿Es posible coaccionar a alguien para que ingiera veneno?

—No lo sé. Por eso quiero recuperar esos correos. Me pregunto si están en una carpeta que encontré en su papelera. No puedo abrirla.

—¿Qué ocurre cuando lo intentas?

—Espera un momento.

Enciendo el ordenador y saco la carpeta de la papelera. La abro y recibo el mensaje encriptado. Se lo leo a Harry.

—Intenta esto. —Me da una serie de complicadas instrucciones. Pero es inútil. El archivo sigue encriptado.

A continuación me da otras instrucciones, pero estas tampoco funcionan.

—Parece una encriptación muy sofisticada —dice—. La persona que la escribió sabía lo que hacía.

—¿De modo que es imposible abrir ese archivo?

Harry se ríe.

—No. Nada es imposible de abrir. Si yo tuviera el ordenador, probablemente lograría desencriptarlo. Si quieres, puedes enviármelo, pero apresúrate porque el curso termina dentro de dos semanas.

Llevo el ordenador a la farmacia, que tiene una oficina de envíos al fondo. Troy Boggins, que iba a una clase más avanzada que yo en el colegio, trabaja detrás del mostrador.

—Hola, Cody. ¿Dónde te has metido que no te hemos visto el pelo? —pregunta.

—He estado trabajando —respondo.

—Ah, ya —dice él, arrastrando las palabras—. ¿Dónde trabajas ahora?

No tiene nada de vergonzoso limpiar casas. Es un trabajo honrado y gano un buen dinero, probablemente más que Troy. Pero él no pasó cuatro años en el instituto diciendo que en cuanto se secara la tinta en su diploma iba a largarse de aquí. Bueno, yo tampoco. Lo hizo Meg, aunque como la mayoría de sus planes, acabó convirtiéndose también en el mío. Luego ella se marchó y yo me quedé.

En vista de que no respondo, Troy dice que me costará ochenta dólares enviar y recibir de vuelta el ordenador.

—Y algo más si quieres asegurarlo contra posibles daños.

¿Ochenta dólares? Es lo que cuesta un billete de autocar. El fin de semana está al caer, y he ahorrado el dinero que he ganado con horas extras de trabajo. Decido llevar yo misma el ordenador a Tacoma. De esa forma obtendré las respuestas más rápidamente.

Digo a Troy que he cambiado de parecer.

—No hay problema —responde.

Cuando me vuelvo para marcharme, me pregunta:

—¿Te apetece que salgamos algún día? ¿Para tomarnos unas cervezas?

Troy Boggins es el tipo de chico con el que, si le añadieras quince o veinte años, saldría Tricia. En el instituto nunca me hizo mucho caso. Su repentino interés debería halagarme, pero más bien me da mala espina. Como si al no estar Meg junto a mí, estuviera claro lo que soy. Lo que he sido siempre.

Cuando informo a Tricia de que voy a regresar a Tacoma para pasar allí el fin de semana, me mira perpleja. No me lo impedirá. Tengo dieciocho años, y aunque no los tuviera, ella nunca ha sido ese tipo de madre.

—¿Vas a ver a un chico? —pregunta.

—¿Qué? ¡No! Es por un asunto de Meg. ¿Cómo se te ocurre decir eso?

Achica los ojos y olfatea, como tratando de comprobar si huelo a algo. Luego me da veinte dólares para el viaje.

Envío un mensaje de texto a Alice comunicándole que voy a ir y preguntándole si puedo alojarme con ella. Me responde con un montón de signos de admiración, como si fuéramos íntimas amigas. Dice que pasará buena parte del sábado trabajando en el lugar donde hace prácticas, pero que el domingo saldremos juntas. Informo también a Harry de que voy a ir, y él me dice que se pondrá a trabajar en el ordenador enseguida, que confía en poder ayudarme.

Llego tarde, pero ya me han preparado el sofá. Me acuesto en él y duermo como un tronco. Por la mañana, Harry y yo entramos en su habitación, donde tiene cinco ordenadores, todos encendidos. Encendemos el de Meg. Él abre en primer lugar el programa de correo electrónico.

—No estoy seguro de cómo recuperar los correos eliminados —dice, después de echar un vistazo—. Su programa de correo electrónico está configurado de modo que cuando se eliminan unos mensajes en el ordenador, también desaparecen del servidor.

Yo asiento con la cabeza, como si entendiera alguna palabra de lo que ha dicho.

Harry trata de abrir el archivo encriptado.

—Es probable que Meg quisiera borrarlo también, pero se produjo un fallo en la encriptación que impidió que la máquina lo eliminara.

—¿A qué te refieres?

—Lo encontraste en la papelera, ¿no?

Asiento de nuevo.

—Probablemente trató de vaciarla, pero fíjate…

—Abre el menú y selecciona «Vaciar la papelera».

—¡No! —grito.

Él alza la mano para silenciarme. Elimina algunos archivos, pero entonces aparece en la pantalla un mensaje de error: «La operación no puede completarse debido a que la "carpeta sin título" está en uso».

—He colocado unas carpetas falsas en la papelera para comprobar si podía eliminarlas, pero esta no se puede eliminar. Descuida, ya he copiado esta carpeta en mi ordenador. Creo que Meg trató de eliminarla, pero no pudo.

—Ya.

—Sea lo que sea, ella no quería que nadie la viera. ¿Estás segura de que quieres recuperarla?

Yo meneo la cabeza. No estoy segura de nada.

—No se trata de lo que *yo* quiero.

—De acuerdo. Esta tarde tengo cosas que hacer, pero trabajaré en ello cuando regrese a casa. Me llevará un buen rato.

Cuando me dispongo a disculparme por las molestias que le estoy causando, observo el gozo en los ojos de Harry, como si le hubiera ofrecido el mayor rompecabezas del mundo. De modo que me limito a darle las gracias.

Él asiente.

—¿Cómo están los gatos?

—No lo sé. Se los llevó ese chico que se llama Ben.

—Vive en Seattle, ¿no?

Me encojo de hombros. Creo que eso fue lo que me dijo.

—Si quieres ir a ver cómo están los gatos, el grupo de mi iglesia va a ir allí esta tarde para pintar un centro para jóvenes. Podemos llevarte.

—Son gatitos, Harry, no bebés. Y quizá no estén allí. Ben me dijo que iba a llevarlos a casa de su madre. —Aunque por la forma en que se expresaba, no me dio la impresión de que fuera el tipo de chico que va a ver a su madre todas las semanas—. En cualquier caso, ya no me conciernen.

—Perdona —dice Harry alzando las manos—. Creí que te habías encariñado con ellos. Meg sí les había cogido mucho cariño.

—Yo no soy Meg.

Harry asiente de nuevo.

—Me pondré a trabajar en esto enseguida.

La mañana se me hace interminable. Alice y Richard el Drogata no están en casa y Harry no ha salido de su habitación, de modo que me siento en el porche delantero, a mirar cómo llueve. En la esquina, veo uno de los ratones atiborrados de hierba gatera al que los gatitos se habrían divertido atacando. El animal me mira fijamente.

Tomo mi teléfono móvil y envió un mensaje de texto a Ben. «¿Cómo están los gatos?»

Él responde de inmediato. «Están en el jardín. Tratando de atrapar la lluvia.» A continuación me envía una foto de los animalitos jugando en el jardín.

«Menuda diversión para unos gatos de Seattle.»

«Mejor que perseguir a ratones.»

«¿Y tú qué sabes?»

«¡Buena pregunta! ¿Dónde estás?»

«En Tacoma.»

Se produce una pausa antes del siguiente mensaje. Luego: «Ven a visitarlos. Están muy grandes.»

No sé por qué siento un cosquilleo en el estómago; sólo sé que la perspectiva de ver a Ben McCallister me resulta al mismo tiempo repulsiva y lo contrario. Antes de poder pensar en ello, respondo a su mensaje. «De acuerdo.»

Tres segundos más tarde: «¿Quieres que vaya a recogerte?»

«No es necesario.»

Él me envía sus señas y me dice que le mande un mensaje de texto cuando salga para allí.

El grupo de la iglesia de Harry que va a Seattle es muy numeroso, y me sorprende ver a Richard el Drogata sentado al fondo de la furgoneta.

—Hola, Cody —dice.

—Hola, Richard —contesto—. No te tenía por un…

—¿Cristiano? —pregunta, riendo—. Voy por los gases de la pintura. Se me ha terminado la hierba.

Una de las chicas sentadas en el asiento del centro le tira un rodillo.

—Cállate, Richard. No dices más que gilipolleces.

Palabras soeces, el drogata, un grupo de cristianos solidarios. Vaya, vaya.

La chica se vuelve hacia mí.

—Su padre es un pastor en Boise. ¿Tú vas a la iglesia?

—Sólo porque los funerales suelen celebrarse en ellas.

Ella, Richard y Harry se miran, y aunque no creo que la chica estudie en Cascades, está claro que sabe de qué —y de quién— estoy hablando.

Alguien pone la radio y suena una canción de Sufjan Stevens a todo volumen. Richard, Harry y el resto de los pasajeros se ponen a cantar y no paran hasta que llegamos a las afueras de Seattle. Envío a Ben un mensaje de texto comunicándole que estoy cerca.

«*Repeat* acaba de hacer sus necesidades en el arenero —me responde—. Te lo guardaré para que lo veas.»

Me permito sonreír un poco.

—Cuidado —dice Richard el Drogata. Nos estamos aproximando a la salida de la autopista y está trepando sobre los asientos posteriores.

—Eres tú el que está surfeando en un vehículo en movimiento.

Por fin Richard consigue sentarse a mi lado.

—Conozco a los tipos como él. Vi cómo se portó con Meg. Encantador de puertas afuera, pero en el fondo es un cabrón.

Por horrible y demencial que parezca, durante un instante he estado a punto de defender a Ben. Pero luego recapacito y me estremezco, porque Richard tiene razón. Ben es un cretino. Se acostó con Meg y luego la dejó tirada, y ahora que ella ha muerto, le remuerde la conciencia y trata de ser amable conmigo para enmendar su falta.

No sé muy bien qué hago aquí, por qué estoy en Tacoma arrancándome unas costras que tienen que cicatrizar. O por qué estoy en Seattle, bajándome de la furgoneta frente a un destartalado bungaló de estilo artesanal americano en Lower Queen Anne. Es como si me dejara arrastrar por una corriente más fuerte que yo, porque antes de que pueda cambiar de parecer, decir a los cristianos solidarios que iré con ellos para pasarme la tarde pintando, Harry me dice que pasarán a recogerme sobre las cinco, y Richard me mira con una expresión que sólo puedo describir como paternal, aunque soy la última persona en el mundo que sabría en qué consiste esa expresión, y la furgoneta parte a toda velocidad.

Me quedo plantada delante de la vivienda de un azul desteñido, en cuya fachada hay una colección de latas de cerveza y colillas.

Trato de hacer acopio de la furia y el odio que me inspira Ben para entrar en la casa.

La puerta se abre un poco y aparece una bolita de color gris, que pasa de largo junto a mí. *Pete*. Ben tenía razón. Está muy grande.

Al cabo de unos momentos la puerta se abre más y él sale corriendo, descalzo. Detrás del gato.

—¡Mierda!

—¿Qué?

—No dejamos que salgan de casa. —Se agacha junto a un arbusto y se incorpora sosteniendo a *Pete* por el cogote—. Hay mucho tráfico.

—Ya.

Ben me ofrece el gatito, que parece haberse amansado, para que lo tome en brazos. Lo beso en la cabecita y el animal me araña debajo de la oreja.

—¡Ay! —grito.

—Es un poco agresivo.

—Ya lo veo. —Se lo devuelvo.

—Entremos —dice.

Abre la puerta de la casa. Los suelos de tarima están gastados, pero hay una bonita estantería de madera empotrada, recién construida, llena de libros, álbumes de discos y cirios parpadeantes. Ben enciende la luz y se acerca a mí, y durante un segundo pienso que va a besarme, y aprieto los puños. Pero me aparta el pelo y me examina el cuello.

—Es bastante profundo —dice.

Me toco el arañazo, que empieza a convertirse en un verdugón.

—No tiene importancia.

—Deberías lavártelo con agua oxigenada.

—Estoy bien.

Él menea la cabeza.

—Los gatos utilizan el arenero para hacer sus necesidades. Podrías contraer la fiebre por arañazo de gato.

—Eso es un invento, una canción.

—No, es verdad. Se te hinchan las glándulas.

—¿Cómo sabes tanto de gatos?

—En casa teníamos varios gatos. cuando yo era pequeño. Mi madre no era partidaria de la esterilización. Ni en las mascotas ni en los humanos.

Lo sigo hasta un cuarto de baño de color rosa de los años sesenta, húmedo porque hace poco que se ha duchado. Abre el botiquín y saca un frasco de agua oxigenada. Echa unas gotas en un pañuelo de papel y se inclina sobre mí.

Yo le quito el pañuelo de las manos.

—Deja, lo haré yo —digo. El arañazo adquiere un color blanquecino, cubierto de espuma, y durante un segundo me escuece, pero luego se me pasa. Ben y yo nos miramos en el cuarto de baño, cálido, húmedo y pequeño.

Salgo y él me sigue para enseñarme la casa: los muebles de distintos estilos y colores en la sala de estar, la colección de aparatos e instrumentos musicales en el sótano. Me enseña su habitación, un futón oscuro al igual que las paredes, una guitarra acústica en un rincón y una bonita estantería como la de la sala de estar. Lo observo todo sin pasar de la puerta.

Ha dejado de llover, y Ben me conduce por una larga escalera que da acceso al jardín trasero.

—Aquí pasan buena parte del tiempo —dice, señalando alrededor.

—¿Quiénes? —De pronto me acuerdo del motivo por el que estoy aquí—. Ah, los chicos.

—A propósito… —empieza a decir.

—¿Los has llevado a castrar?

—Ya lo había hecho Meg. —A Ben le cuesta un poco pronunciar su nombre, pero enseguida recobra la compostura—. Pero no son dos machos. *Repeat* es hembra. Yo creía que eran hermanos.

—Deben de ser hermanos de la misma camada, pero en cualquier caso, sigue siendo divertido.

—¿A qué te refieres?

—Al chiste. —Me mira, perplejo, y se lo explico—. *Pete* y *Repeat* salieron en un bote, *Pete* se cayó al agua. ¿Quién se salvó?

—*Rep*... —Ben se detiene—. Ah, ya lo entiendo. —Se rasca la cabeza y reflexiona un segundo—. Pero Meg se equivocó al ponerles el nombre, porque no fue la chica la que se salvó.

Eso es. Ahora comprendo el verdadero motivo por el que estoy aquí. No es para ver a los gatitos. Sino por esto. Porque, de alguna forma, trágica y espantosa, lo ocurrido ahora nos une. Permanecemos unos momentos de pie, envueltos en la humedad de la tarde. Luego Ben se sienta en los escalones y enciende un cigarrillo. Me ofrece uno, que rechazo con un gesto de la cabeza.

—No bebo. No fumo —digo, imitando la canción de los ochenta que Meg y yo descubrimos en una de las cintas de canciones recopilatorias de Sue.

—Entonces, ¿qué haces? —me pregunta Ben, rematando la canción.

Me siento a su lado.

—Buena pregunta. —Me vuelvo hacia él—. ¿Y tú qué haces?

—Algún que otro trabajo de construcción, de carpintería. Toco con la banda.

—Ya. Los Scarps.

—Sí. Anoche tocamos, y esta noche también.

—Dos noches consecutivas...

—Podrías quedarte y venir a vernos tocar esta noche. Actuamos en Belltown.

—Me alojo en Tacoma.

—Puedo llevarte en el coche, probablemente no esta noche, sino mañana. Puedes dormir aquí.

¿Lo dice en serio? Lo miro mosqueada y él se encoge de hombros.

—O no. —Da una calada al cigarrillo—. ¿Qué has venido a hacer aquí?

—He venido a ver a los gatos —respondo, a la defensiva—. Tú me invitaste a venir, ¿recuerdas? —Después de que yo le enviara un mensaje de texto. ¿Por qué diablos le envié un mensaje de texto?

—No, me refiero aquí, en la costa. En Tacoma.

Le explico lo del ordenador de Meg, los archivos eliminados, la carpeta encriptada, los conocimientos informáticos de Harry.

En su rostro se pinta una expresión extraña.

—No creo que sea buena idea leer sus correos.

—¿Por qué? ¿Tienes algo que ocultar?

—Aunque lo tuviera, ya has leído mis correos.

—Precisamente por eso quiero recuperar los suyos

Ben juguetea con el cigarrillo.

—Pero esos correos eran míos. Me los había escrito a mí. Deberías tener mi permiso para leerlos, y yo no creo que debas husmear en sus asuntos privados.

—Cuando te mueres, dejas de ser una persona y la privacidad es un tema discutible.

Ben parece sentirse incómodo.

—¿Qué buscas exactamente?

Yo meneo la cabeza.

—No estoy segura. Pero hay algo que me parece sospechoso.

—¿Sospechoso en qué sentido? ¿Crees que fue asesinada?

—No sé qué creer. Pero hay algo raro en todo ello, algo que me da mala espina. Empezando por el hecho de que Meg no tenía tendencias suicidas. He estado pensando en ello. Aunque yo no supiera lo que ella hacía aquí, la conozco de toda la vida. Y en todos estos años jamás pensó ni habló de suicidarse. Debió de ocurrir algo. Algo que la impulsó a quitarse la vida.

—Algo que la impulsó a quitarse la vida —repite Ben. Sacude la cabeza y enciende otro cigarrillo con la colilla del anterior—. ¿Qué, exactamente?

—No estoy segura. Pero en su nota de suicidio había una línea en la que decía que ella misma había tomado la decisión. ¿Quién iba a tomar esa decisión por ella?

Ben parece cansado. Guarda silencio durante largo rato.

—Quizá lo escribió para que no te sintieras culpable.

Yo sostengo su mirada un momento más de lo aconsejable.

—Pues no lo ha conseguido.

Empieza a llover otra vez, de modo que Ben y yo entramos en casa. Él prepara unos burritos con una mezcla de alubias negras y *tempeh* que hay en el frigorífico y luego me enseña dónde oculta un trozo de queso en un táper, que gratina encima de la mezcla. Cuando terminamos de comer, hemos pasado una hora entera juntos. Los chicos de la iglesia no pasarán a recogerme hasta las cinco y el tiempo se extiende ante nosotros como un bostezo. Ben se ofrece para enseñarme Seattle e ir a ver la Aguja del Espacio, pero hace un frío insólito para esta época del año y no tengo ganas de salir.

—¿Qué quieres hacer? —me pregunta.

En la sala de estar hay un pequeño televisor. De pronto, la idea de hacer algo normal —algo que no tenga nada que ver con funerales, ni con tratar de recuperar archivos informáticos eliminados, sino simplemente pasar la tarde delante del televisor, cosas que no me apetecía hacer desde la muerte de Meg— resulta muy atrayente.

—Podemos ver la televisión —propongo.

Me mira sorprendido, pero luego toma el mando a distancia, enciende el televisor y me entrega el mando. Miramos una repetición de *The Daily Show* mientras los gatos se acurrucan junto a nosotros. El teléfono móvil de Ben no deja de vibrar con mensajes de texto y llamadas. Cuando entra en la habitación contigua para atender un par de llamadas, le oigo murmurar a uno de sus interlocutores: «Ha ocurrido un imprevisto, quizá podamos vernos mañana por la noche». Escucho una conversación larga y tensa en la que le explica reiteradamente a una chica llamada Bethany, que debe de ser un poco obtusa, por qué no puede ir a verla. Le propone que venga ella a verlo a él. En serio, Bethany, ponte las pilas. Hasta yo percibo el escaso entusiasmo de Ben.

Cuando regresa de nuevo al sofá, he sintonizado el canal de la MTV, en el que dan un maratón de *16 and Pregnant*. Ben no lo ha visto nunca y le explico que se trata de un *reality* sobre adolescentes embarazadas. Él sacude la cabeza.

—Eso está a la orden del día.

—Ya —contesto.

Su móvil suena con otro mensaje de texto.

—Si quieres un poco de privacidad, me marcho —sugiero.

—Sí, me gustaría un poco de privacidad —responde. Cuando me levanto para recoger mis cosas y esperar unas horas en un café a que vengan a recogerme, Ben apaga su teléfono móvil.

Miramos el *reality show*. Después de unos cuantos episodios, él se anima y empieza a gritarle al televisor como solíamos hacer Meg y yo.

—Es un buen argumento para el control de natalidad obligatorio —comenta.

—¿Has dejado alguna vez embarazada a una chica?

Me mira con ojos como platos. Ahora muestran un azul eléctrico, o quizá se deba al reflejo del televisor.

—Es una pregunta muy personal.

—Creo que a estas alturas podemos dejarnos de ceremonias, ¿no?

Él me mira.

—En cierta ocasión, cuando iba al instituto, me llevé un susto, pero resultó ser una falsa alarma. Eso sí, aprendí la lección. Desde entonces, a diferencia de estos cretinos, siempre utilizo un condón. —Ben señala el televisor y añade—: A veces pienso que debería hacer que me castraran como a *Pete* y a *Repeat*.

—Como a *Pete*. *Repeat* es una chica, a la que le habrán extirpado los ovarios.

—Vale, como a *Pete.*

—¿No quieres tener hijos algún día?

—Sé que es lo que se supone que debo hacer. Pero cuando imagino mi futuro, no vislumbro esa posibilidad.

—Vive aceleradamente, muere joven. —Todo el mundo da una interpretación romántica a esa idea, y lo odio. Vi una foto del cadáver de Meg en el informe policial. No hay nada romántico en morir joven.

—No es que crea que vaya a morir joven ni nada por el estilo. Es que no me veo... conectado.

—No sé qué decirte —respondo—. A mí me parece que estás bastante *conectado* —digo, señalando su móvil.

—Supongo que sí.

—¿Lo supones? Veamos. ¿Tuviste a una chica aquí anoche?

Las orejas de Ben se ponen un poco coloradas, lo cual responde a mi pregunta.

—¿Y tendrás a una chica aquí esta noche?

—Depende... —responde.

—¿De qué?

—De si decides quedarte.

—Pero ¿qué dices, Ben? ¿Eres un adicto al sexo? ¿No puedes controlarte?

Él levanta las manos con gesto de rendición.

—Tranquila, Cody. Me refiero a que si decides quedarte a dormir en el sofá. Tú pasarás la noche aquí.

—Mira, Ben, te lo explicaré con toda claridad para que no haya malentendidos. Jamás me acostaré contigo, ni dormiré bajo el mismo techo que tú.

—Vale, te tacharé de la lista.

—Imagino que es muy larga.

Tiene el detalle de sonrojarse cuando le digo esto.

Seguimos mirando la televisión un rato.

—¿Puedo preguntarte otra cosa?

—¿Si digo que no, dejarás de hacerlo? —contesta.

—¿Por qué haces esto? Entiendo que los chicos queráis tener sexo. Entiendo que estáis siempre cachondos, pero ¿por qué una chica diferente cada noche?

—No es una chica diferente cada noche.

—Pero casi.

Ben saca una cajetilla de tabaco y juguetea con un cigarrillo, sin encenderlo. Observo que tiene ganas de hacerlo, pero supongo que tiene prohibido fumar dentro de casa. Al cabo de un rato, mete de nuevo el cigarrillo en la cajetilla.

—Uno sabe lo que sabe —dice.

—¿Qué quieres decir con eso?

—Pues que... hacerte hombre no es algo que suceda de forma instintiva... —No termina la frase.

—¡Por favor! No he visto nunca a mi padre, y mi madre no es precisamente un modelo a imitar, pero no les culpo por mis fallos. ¿Cuál es tu historia, que no has tenido un padre? No me hagas llorar.

Él me mira. Su rostro ha asumido un gesto duro, es el Ben que vi en el escenario, el Ben que vi por primera vez en la habitación de Meg.

—Claro que he tenido un padre —responde—. ¿De quién crees que he aprendido a hacer lo que hago?

A las cuatro y media, Harry me envía un mensaje de texto diciendo que están terminando y que no tardarán en llegar. Recojo mis cosas y salimos a esperarlos frente a la casa.

—¿Volveré a verte? —me pregunta Ben.

Contengo el aliento. No sé muy bien por qué.

—Porque si no es así —continúa él—, tengo que decirte algo.

—De acuerdo. —Este es el motivo por el que quería que yo viniera. No para que viera a los gatitos. Sino para que escuchara su confesión—. Adelante.

Ben da una larga calada al cigarrillo y, cuando espira, expele poco humo. Es como si toda la toxicidad se hubiera quedado en su interior.

—Ella lloró. Después de que nos acostáramos. Lloró. Estaba bien, pero de golpe rompió a llorar.

—¿Estaba bebida? —pregunto—. ¿Borracha como una cuba?

—¿Te refieres a si follamos cuando estaba inconsciente? Joder, Cody, no soy tan cabrón.

—Te sorprendería la cantidad de tíos que lo son.

Entonces le cuento lo de la primera vez de Meg. La fiesta, cuando estaba en segundo. Se había bebido varias copas de Jägermeister, un licor muy fuerte, y estaba coqueteando con Clint Randhurst. Las cosas se precipitaron y llegaron demasiado lejos. Y aunque ella no dijo exactamente que no, tampoco dijo que sí. Para colmo, probablemente fue Clint quien le contagió la mononucleosis, porque poco después Meg enfermó.

Tras su historia con Clint, Meg juró que jamás volvería a hacerlo a menos que fuera con alguien de quien estuviera realmente enamorada. Por eso sé que estaba enamorada de Ben, por más que no le convenía.

—De modo que no fue por ti. Meg no lloró por ti. O si lo hizo, fue de felicidad, o quizá de alivio. Está claro que tú le gustabas. Quizá lloró por eso.

Se lo digo para que deje de culparse por lo ocurrido, o quizá para dejar de culparme yo. Meg me insistió en que no le contara a nadie lo de Clint. Pero Ben parece muy afectado. Sacude la cabeza, baja la vista y no dice nada.

Cuando aparece la furgoneta con los cristianos solidarios, Richard el Drogata observa el gesto abatido de Ben y me mira.

—¿Qué ha hecho ahora? —me pregunta.

—Nada —respondo, montándome en la furgoneta.

—Si encuentras algo más en el ordenador, ¿me lo dirás? —dice Ben.

—De acuerdo.

Cierra la puerta detrás de mí, da un par de palmadas en ella y partimos.

13

Harry trabaja durante toda la noche en el ordenador. Y a la mañana siguiente, cuando me despierto, temprano, veo que tiene la luz encendida y no estoy segura de si ha dormido algo.

—Casi lo he resuelto —me dice con evidente satisfacción—. Era una codificación muy rara. ¿Lo hizo la propia Meg?

Me encojo de hombros.

—Si lo hizo ella, aún lamento más su muerte —añade Harry—. Nos habríamos divertido de lo lindo jugando con ordenadores.

Yo sonrío educadamente.

—Nunca llegas a conocer del todo a una persona, ¿verdad?

No. Nunca.

Alice se despierta al cabo de unas horas y me abraza como si fuéramos amigas íntimas.

—¿Dónde estuviste ayer? —me pregunta.

—Como aquí no había nadie, fui a Seattle con Richard.

—Te estuve esperando, y al ver que no regresabas, me fui al cine. Da lo mismo. Ahora estás aquí. ¡He preparado unas tostadas para las dos! —declara—. Con pan hecho en casa.

La sigo hasta la cocina. Toma un cuchillo, pero no consigue partir la barra de pan. Le propongo que salgamos a desayunar.

Vamos al restaurante en el que pasé la noche hace unas semanas. A Alice no le gusta porque los huevos no son de corral, pero a mí me gusta porque el menú especial de desayuno cuesta dos dólares y noventa y nueve centavos. Me habla sobre sus estudios, los exámenes que tiene dentro de unos días, el verano en Eugene, donde dice que hace un tiempo ideal, que es como vivir en el jardín del Edén, incluyendo el nudismo en algunos círculos. Me invita a ir a pasar unos días con ella antes de que se vaya a Montana, donde ha encontrado un trabajo durante el verano. Yo me esfuerzo en sonreír. Es lo único que se me ocurre, porque ella se comporta como si fuéramos amigas, y no lo somos, somos amigas de una persona que ambas conocemos, pero esa persona ya no vive.

—¿Por qué fuiste ayer a Seattle? —me pregunta al cabo de un rato.

—Para ver a los gatitos.

—¿Y a Ben McCallister?

—Sí, él también estaba allí.

Alice levanta la vista y me mira.

—Está muy bueno, ¿verdad?

—Supongo.

—¿Lo supones? Él y Meg tenían un rollo.

Pienso en la soez descripción de Ben. «Me la follé», dijo, con tanto desprecio hacia Meg, hacia el acto, hacia sí mismo, que me pregunto por qué lo hizo.

—Yo no lo llamaría un rollo.

—No me importaría tener un rollo con él.

Alice parece tan dulce, tan joven, tan inocente. ¿Qué sería de ella si Ben la utilizara y luego la dejara tirada? No es una imagen agradable.

—No te conviene.

Cuando terminamos de desayunar, Harry me envía un mensaje de texto. «Lo he descifrado.»

Pago los dos desayunos y regresamos apresuradamente a la casa.

Harry nos espera en el porche delantero, con el ordenador de Meg sobre las rodillas.

—Mira —dice.

Yo obedezco.

En la pantalla hay un documento abierto. Tiene un membrete profesional que dice «Compañía de Limpieza Industrial Hi-Watt», seguido de unos números.

—¿Qué es?

—Una licencia comercial.

—¿Por qué tenía eso en su ordenador?

—Necesitas una licencia para adquirir esto. —Harry abre otra ventana. Contiene una lista de agentes químicos letales, dónde conseguirlos, cómo conseguirlos, los efectos físicos previsibles y el «índice de éxito». El veneno que utilizó Meg figura en esa lista. Ostenta uno de los índices de éxito más elevados.

Empiezo a sentir náuseas.

—Hay más —dice. Abre otro documento, una especie de lista de control, como la que te dan en clase. Pero al examinarla más de cerca, veo que los conceptos que aparecen en la columna de la izquierda constituyen una especie de plan de suicidio. Encarga el veneno. Elige el día. Escribe una nota. Elimina tu historial de búsqueda y los datos almacenados en caché. Programa la nota para enviarla en la fecha y hora que desees.

—Dios mío... —digo.

—Hay más, Cody —dice Harry con tono de advertencia.

Abre un simple documento de texto. Con un tono casi desenfadado, al inicio se felicita a quienquiera que esté leyendo esto por tomar «el valiente y definitivo paso hacia la autodeterminación». Sigue: «No podemos elegir cuándo nacemos, ni por lo general cuándo morimos. El suicidio es la única excepción. Se requiere valor para elegir este camino. El suicidio puede ser un rito de pasaje sagrado». La nota continúa enumerando con escalofriante detalle los lugares y momentos más convenientes para hacerlo, cómo ocultar tus planes a tus familiares y amigos. Incluso ofrece consejo sobre qué escribir en la nota de suicidio. La nota de Meg reproduce algunos pasajes textuales.

Me inclino sobre la barandilla del porche y vomito encima de las hortensias color lavanda. Alice rompe a llorar, y Harry parece levemente aterrorizado, como si no supiera qué hacer con nosotras.

—¿Quién sería capaz de hacer semejante cosa? —pregunto con voz entrecortada.

Él se encoge de hombros.

—He indagado un poco más. Al mirar en Google algunos de los consejos que ofrecen las notas, he descubierto que hay numerosos «grupos de apoyo al suicidio».

—¿Grupos de apoyo? —pregunta Alice, confundida.

—Para animar a la gente a suicidarse, no para tratar de impedirlo —digo.

Harry asiente con la cabeza.

—Antes eran más activos *online*, pero ahora sólo quedan unos pocos. Lo cual quizás explique tanto secretismo. Estas notas provienen de un grupo denominado La Solución Final. Un bonito nombre. —Sacude la cabeza, indignado—. Quienquiera que creó estos archivos está claro que no quería que nadie le descubriera. —Harry sonríe, pero enseguida se da cuenta de que no debería hacerlo—. Lo irónico del caso es que si Meg hubiera guardado los archivos sin encriptar y los hubiera eliminado no estarían en su disco duro.

—¿Cómo sabes con certeza que Meg tuvo contacto con ese grupo llamado La Solución Final?

—Meg borró su historial de búsqueda, pero no vació su memoria caché. —Harry me mira, luego mira el ordenador—. La Solución Final estaba allí.

14

Tricia, la pregonera local, ha comunicado a medio pueblo que he regresado a Tacoma, lo que significa que Joe y Sue se han enterado, aunque yo no me entero hasta que me llaman para invitarme a cenar a su casa, y cuando llego me sorprenden preguntándome por qué he ido a Tacoma.

—La última vez me marché precipitadamente y quería asegurarme de que no me había dejado nada allí.

—No tenías que hacerlo, Cody —dice Sue, meneando la cabeza. Vierte en mi plato una pasta precocinada, semejante a algo que prepararía Tricia—. Eres muy buena con nosotros.

Mi secreto —el secreto de Meg— me produce un sabor amargo. Yo no quería que fuera un secreto. Durante todo el trayecto de regreso en el autocar, pensé si debía decírselo a ellos. ¿Influiría en algún sentido? ¿Les causaría más dolor? Lo cierto es que no había tomado ninguna decisión, salvo la de evitar a los García cuando regresara. Habían transcurrido tres días, y al parecer alguien había decidido por mí.

Sue recoge los platos. Mira el mío, pero se abstiene de decir que apenas he probado bocado. Observo que ella también ha hecho lo mismo.

—¿Quieres quedarte? —me pregunta—. Joe por fin entró en su habitación.

La habitación de Meg, en la que según Scottie nadie había entrado desde su muerte. El chico me dijo que se había asomado un par de veces y tenía el mismo aspecto de siempre, como si Meg estuviese a punto de llegar a casa. La imagino con toda claridad: la desordenada mesa, llena de cables y pistolas soldadoras. El tablón de corcho con su *collage* de viejos álbumes de música, dibujos al carbón y fotos. La pared de los grafitis, como denominábamos a la pared frente a las ventanas que estaba cubierta con un papel floral espantoso. Hasta que un día Meg tuvo una inspiración y decidió arrancarlo y cubrir el yeso que había debajo, utilizando un rotulador permanente, con sus citas y letras de canciones favoritas. Sue se había puesto furiosa con ella, en primer lugar porque había destrozado la pared y, en segundo, porque algunas personas de su iglesia, a las que había invitado un día a comer, habían comentado que algunas de las cosas que había escrito eran un sacrilegio. «Ya sabes cómo es la gente, Joe», había oído decir Meg a su madre. Pero su padre había salido en su defensa. ¿Qué importaba lo que pudieran decir esas cotillas? Si la pared ofrecía a Meg el medio de expresarse o desahogarse, él no se oponía a que lo hiciera. Cuando ella se fuera de casa, volverían a pintarla. Pero no lo hicieron. Y ahora dudo de que lo hagan alguna vez.

—Hemos encontrado algunas cosas tuyas —dice Joe—. Y algunas cosas de Meg que hemos pensado que te gustaría conservar.

—Las recogeré otro día. Tengo que levantarme temprano para ir a trabajar.

¿Esto es lo que ocurre con las mentiras? La primera te cuesta, la segunda menos, hasta que surgen de tus labios con más facilidad que las verdades, quizá porque son más fáciles que las verdades.

Les digo que no es necesario que me acompañen a la puerta. Pero antes de cerrarla tras de mí, Scottie aparece poniéndole la correa a *Samson*.

—¿Un paseíto? —pregunta.

—Tengo prisa —contesto.

—Vale. A *Samson* le gusta correr, ¿verdad, chico?

Echo a andar a paso rápido y Scottie me sigue sin mayores problemas porque tiene diez años y unas piernas que le llegan a los codos. *Samson* camina también a paso ligero, olfateando los árboles y los muros en busca de un sitio para hacer pipí.

Cuando llegamos al final de la manzana, Scottie me pregunta por qué he vuelto a Tacoma.

—Ya os lo he dicho. Quería asegurarme de que no me había dejado nada.

No sé si es más difícil mentir a los niños o si estos tienen unos detectores de mentiras más finos, pero el caso es que me mira con una expresión cínica que me llega al alma.

—¿Por qué fuiste realmente? —pregunta.

—No quiero hablar de esto.

—Dime sólo por qué fuiste. Encontraste algo, ¿verdad?

Scottie es alto y delgado y tiene el pelo rubio de Sue, aunque se le ha empezado a oscurecer. Sé que piensa que esto ha destruido su inocencia, pero sólo tiene diez años. No es cierto que haya destruido su inocencia. Y aunque lo fuera, tiene tiempo de recuperarla. Pero no si le digo que su hermana se hizo pasar por un comprador de una compañía de limpieza para encargar un detergente ultrapotente para limpiar tapicerías. Que se tomó todas esas molestias porque Meg era así, pero también porque al parecer estaba tan empeñada en quitarse la vida que necesitaba un producto químico que presentara el mínimo margen de error. Lo meticulosamente que lo había planeado, como hacía siempre, como cuando quería obtener un pase para ir al *backstage* después de un concierto. «Primero probaremos con los publicistas, y si no da resultado, probaremos con la emisora de radio, y si eso también falla, siempre podemos pedir a nuestros contactos con bandas musicales que nos echen una mano», habría dicho Meg. Sus planes siempre daban resultado.

Puede que Meg no enviara a Scottie la carta de suicidio, pero le había enviado una nota de despedida diciéndole que le quería. Supongo que quería dejarlo con eso. Si revelo a Scottie lo que he averiguado, destruiré eso, y quizá también a él. Este año ya hemos perdido a un miembro de la familia García.

—No había nada que encontrar, Scottie —digo, meneando la cabeza.

Y le dejo allí. En la esquina. En la oscuridad.

15

Cuando decidí que no iría a la Universidad de Washington, sino que me quedaría en casa y asistiría al centro universitario local, Tricia exigió que me buscara un trabajo. En el Dairy Queen contrataban a nuevos empleados, de modo que presenté una solicitud. Se la entregué a la encargada, que resultó ser Tammy Henthoff.

—¿Eres amiga de la chica García? —me preguntó, examinando mi solicitud.

—¿Meg? Sí. Es mi mejor amiga —respondí—. Estudia en la universidad en Tacoma, con una beca completa —añadí.

Me sentía muy orgullosa de ella.

—Ya. —Tammy no parecía impresionada. O quizás estaba a la defensiva. Desde que se había fugado con Matt Parner, la gente la trataba con desprecio. Había perdido su empleo en el concesionario donde trabajaba su marido, y yo había oído decir que Melissa, la que pronto sería la ex esposa de Matt, y sus amigas solían pasar en coche frente al Dairy Queen para dedicarle todo tipo de insultos. No es que Tammy no los mereciera. Pero Matt conservaba su trabajo en el Jiffy Lube y nadie pasaba por allí en coche para gritarle «puta».

Mientras Tammy me estaba entrevistando, pasó un grupo de estudiantes del instituto. El Dairy Queen siempre había sido el local de referencia de los estudiantes, y entonces comprendí que, si obtenía el trabajo, serviría hamburguesas a personas a las que prácticamente había ninguneado durante los últimos cuatro años. Meg conocía a todo el mundo aquí y tenía sus admiradores, pero no así una amistad estrecha con mucha gente. Tenía su familia, las personas a las que conocía a través de Internet y a mí. En primero de secundaria, los profesores empezaron a llamarnos la Vaina, y a partir de ahí mucha gente nos llamaba por ese apodo. Éramos inseparables. Incluso Tammy Henhoff, que hacía siete años que había dejado el instituto, había oído hablar de nosotras. Si yo trabajaba aquí, tendría que soportar que me asediaran a preguntas todos los días: «¿No eres la amiga de Meg?» Y la pregunta que inevitablemente iba unida a esa: «Entonces, ¿qué haces aquí?»

Por esa época, la encargada del turno de noche del restaurante donde trabajaba Tricia le preguntó si conocía a alguien de confianza que pudiera limpiarle la casa. Tricia me preguntó si me interesaba, casi como un reto, porque sabía lo que yo odiaba limpiar. Pero una puede hacer bien un trabajo por mucho que lo odie. Al poco tiempo ese trabajo se convirtió en dos y luego en cuatro y ahora tengo seis casas.

Hace un par de semanas, recibí una llamada para un puesto como guarda en Pioneer Park. Sue conocía a la mujer que dirigía el departamento de parques y jardines, y de alguna forma, en medio de todo lo que había sucedido, le habló de mí y me llamaron para que fuera a una entrevista.

Era un buen trabajo, con un sueldo aceptable e incluso con ventajas extrasalariales. El día de la entrevista con el superintendente, fui al parque caminando. Y entonces vi el cohete espacial.

Pioneer Park era donde Meg y yo aprendimos a montar en bicicleta. Donde correteábamos entre los aspersores y soñábamos con la piscina que el municipio había dicho que construiría (nunca sucedió, aquí no sucede nunca nada). Era un lugar que no era la casa de Meg ni la mía ni el colegio ni el Dairy Queen, donde podíamos estar solas y charlar.

La cápsula en la parte superior del cohete espacial era nuestro club privado. Cada vez que subíamos por la precaria escalera hacia la cabeza del cohete, comprobábamos que éramos las únicas personas allí, aunque a tenor de la cantidad de grafitis, que cambiaban continuamente, era obvio que no éramos las únicas que subíamos al cohete.

Una de las cosas que más nos divertían era leer los grafitis en voz alta. Había corazones dibujados por parejas que habían roto hacía tiempo, y letras de canciones que nadie recordaba ya. La gente escribía nuevos mensajes sobre los antiguos, aunque había una frase, la favorita de Meg, que permanecía grabada en el metal: «Yo estuve aquí». A ella le encantaba. «¿Qué más puedes decir?», preguntaba. Había escrito esa frase en la pared de su habitación, cubierta también de grafitis, y amenazaba con hacérsela tatuar el día menos pensado, si conseguía vencer su pánico a las agujas.

Ese lugar, que era una trampa mortal, tenía que haber sido demolido hace años, pero no lo fue. Era el punto más elevado de la ciudad, y en los días despejados se veía a muchos kilómetros a la redonda. Meg decía que alcanzabas a ver el futuro.

Me di media vuelta. No llamé al superintendente para anular la entrevista.

De modo que sigo limpiando casas. Quizá sea mejor así. Los retretes son anónimos. No tienen historias que relatar, ni recriminaciones que hacerte. Se limitan a tragar mierda y descargar agua.

Desde que regresé de mi último viaje a Tacoma, incluso disfruto con mi trabajo. El fregoteo, la interminable repetición, acercarte a un asqueroso fregadero, atacarlo con lejía y un estropajo de aluminio y dejarlo reluciente...; los antes/después en la vida nunca son tan definidos.

Hoy limpio dos casas, en las que hago la colada y plancho fundas de almohada y repaso los azulejos de la cocina con una rasqueta. En realidad no son azulejos, sino linóleo. Pero a la señora Chandler le gusta que lo limpie así, ¿y quién soy yo para llevarle la contraria?

Durante los siguientes días, como no tengo trabajo, aplico mi afán de dejarlo todo como los chorros del oro a la pequeña casa en que vivimos Tricia y yo, utilizando lejía y un viejo cepillo de dientes para limpiar el teléfono de la ducha, que está negro debido al moho. Tricia se lleva tal sorpresa cuando ve que los azulejos han pasado de un color gris al blanco que tenían antes que ni siquiera hace un comentario sarcástico.

Trabajo como una loca hasta que termino todos mis quehaceres y nuestra casa está tan limpia como cuando nos mudamos a ella. Me siento en la cama y organizo mis ganancias según el valor de los billetes: esta semana he ganado doscientos cuarenta dólares. Tengo que dar a Tricia cien dólares por la parte que me corresponde de los recibos, pero me queda una buena cantidad, y no tengo que gastarla en nada. Teóricamente, estoy ahorrando para mudarme a Seattle. Teóricamente, en clase de física aprendí que el universo se expande a un ritmo de setenta y dos kilómetros y medio por segundo, pero no es la sensación que da cuando estás paralizada.

Guardo el dinero en mi caja de metal debajo de la cama. Tricia tiene tendencia a quedarse con el dinero que se encuentra. La casa está silenciosa, opresiva, más claustrofóbica que de costumbre. Me calzo mis chanclas y me dirijo a la ciudad. Fuera del Dairy Queen, veo a unas personas con las que fui al colegio, entre las que está Troy Boggins, sentadas en los bancos a la sombra de los álamos. Me saludan con la mano y yo les devuelvo el saludo, pero no me invitan a que me siente con ellos y yo no finjo que deseo hacerlo. En lugar de ello, me encamino hacia la biblioteca. Ahora que Meg ya no está y su casa ya no es mi segundo hogar, este es mi refugio. Además, tiene aire acondicionado.

La señora Banks está en su escritorio, y al verme, me hace una seña para que me acerque.

—¿Dónde has estado, Cody? Iba a devolver estos libros. —Me muestra una pila de volúmenes sujetos con una goma elástica, más obras de autores centroeuropeos. *La guerra de las salamandras,* de Karel Čapek, *Una soledad demasiado ruidosa,* de Bohumil Hrabal, y una colección de relatos cortos de Kafka.

—Gracias —digo. Me he quedado sin libros, pero en cuanto entro en el grato y fresco ambiente de la biblioteca, comprendo que no ese el motivo por el que he venido.

Me dirijo a los ordenadores. Tecleo «Solución Final» y «suicidio» en la casilla de búsqueda. Aparecen principalmente datos sobre Hitler y los nazis, aunque hay una página que parece prometedora, pero cuando intento abrirla, no puedo. Pruebo otras páginas, pero tampoco consigo abrirlas.

—¿Hay algún problema con los ordenadores? —pregunto a la señora Banks.

—No creo. ¿Por qué?

—No consigo abrir algunas páginas.

—¿Estás mirando páginas indecorosas, Cody? —me pregunta la señora Banks.

Lo dice en broma, pero me sonrojo.

—Estoy haciendo un trabajo de investigación.

—¿Sobre qué?

—Sobre grupos neonazis.

Otra mentira. Surge con toda naturalidad.

—Ah, debe de ser por eso. Puedo retirar los filtros si quieres —dice la bibliotecaria.

—No —me apresuro a responder. Nadie debe saber lo que estoy haciendo. De golpe recuerdo que ahora tengo mi propio ordenador. Y la biblioteca tiene WiFi gratuito—. Debo irme. Pero ¿puedo pasar mañana?

—Cuando quieras, Cody —contesta la señora Banks—. Me fío de ti.

Al día siguiente llevo el ordenador de Meg a la biblioteca, y antes de sentarme, la señora Banks me enseña cómo retirar los filtros. Luego me pongo manos a la obra. La página web de La Solución Final es un portal de entrada. Tienes que hacer clic sobre un botón declarando que has cumplido dieciocho años. Cuando lo hago, el portal me remite a un índice temático. Abro algunos mensajes. Muchos son basura. Otros no ofrecen el menor interés. Miro algunas páginas y tengo la sensación de estar perdiendo el tiempo. Hasta que veo el siguiente encabezamiento: «Pero ¿y mi esposa?»

El correo es de un tipo que asegura que quiere suicidarse, pero se pregunta cómo afectará eso a su esposa, a la que ama. «¿Destrozará su vida?», escribe.

Más abajo aparecen numerosas respuestas. La opinión mayoritaria es que su esposa probablemente se sentirá aliviada, dado que la situación también le debe de hacer sufrir, y que si él se quita de en medio pondrá fin al sufrimiento de ambos. «Las mujeres están más capacitadas para recuperarse de este tipo de cosas —escribe una persona—. Probablemente volverá a casarse dentro de unos años y será feliz.»

¿Quiénes son estas personas? ¿Era con ellas con las que hablaba Meg?

Vuelvo a leer las respuestas, escritas en un tono tan despreocupado que parece como si ofrecieran consejo sobre cómo reparar un carburador averiado, y al hacerlo siento que el cuello me arde y noto una opresión en la boca del estómago. Ignoro si estas personas tuvieron algo que ver con Meg. Ignoro si ese tipo pretendía realmente suicidarse, o si llegó a hacerlo. Pero una cosa sí sé. Jamás te recuperas de este trauma.

16

Después de descubrir el foro de La Solución Final, dedico cada momento de que dispongo a explorar sus archivos.

En Shitburg no hay muchos lugares donde puedas conectarte a Internet, de modo que básicamente llevo a cabo mi investigación en la biblioteca, la cual, pese a la mediación de Meg, sólo abre durante ciertas horas, la mayoría de las cuales coinciden con mi horario de trabajo. Si tuviéramos acceso a Internet en casa, podría avanzar más, pero cuando saco a colación el tema con Tricia, ofreciéndome incluso a pagar la instalación, contesta:

—¿Qué necesidad tenemos de eso?

En otras circunstancias, habría ido a casa de los García y habría utilizado su ordenador. Pero ahora me sentiría violenta, aunque no estuviera investigando el suicidio de Meg. De modo que tengo que conformarme con la biblioteca.

—¿Qué te parecen los autores checos? —me pregunta una tarde la señora Banks. Durante unos momentos la miro confundida, hasta que recuerdo los libros que me he llevado. No he abierto ninguno.

—Son interesantes —miento. Por lo general, leo dos o tres libros a la semana y le hago unos comentarios muy detallados sobre la trama o los personajes.

—¿Quieres que te renueve el préstamo?

—Sería estupendo. Gracias.

Me centro de nuevo en el ordenador.

—¿Sigues trabajando en ese proyecto de investigación?

—Sí —respondo.

—¿Puedo ayudarte en algo?

La señora Banks se inclina para mirar la pantalla.

—¡No! —contesto, alzando la voz al tiempo que minimizo la ventana.

Ella se muestra sorprendida.

—Lo siento. Te he visto tan concentrada en tu trabajo que pensé que quizá necesitabas ayuda.

—Gracias. Estoy bien. Supongo que no estoy segura de qué es lo que busco.

Es verdad. Cada día la gente añade más correos electrónicos. Algunos escriben para que les animen o pidiendo consejo sobre cómo hacer un nudo corredizo; otros son de personas cuyo marido o esposa padece una enfermedad terminal o de amigos que quieren ayudarles a morir con dignidad. Luego hay unos correos absurdos sobre Israel o los precios de la gasolina o quién ganó el programa *Ídolo.* Utilizan una jerga propia, frases taquigráficas para referirse a ciertos métodos, expresiones coloquiales como *coger el autobús,* que es como la gente en este foro se refiere al acto de quitarse de en medio.

La señora Banks asiente con gesto comprensivo.

—Yo solía hacer investigaciones bibliográficas. Cuando te enfrentas a un tema complejo, lo mejor es centrarte en un objetivo. Tienes que centrarte en algo específico para minimizar tu campo de acción. De modo que quizá debas centrarte en un elemento del movimiento neonazi.

—Ya. Gracias.

Cuando se aleja, medito en lo que ha dicho. Hay una función para examinar los archivos, pero cuando la utilizo para buscar el tipo de veneno que ingirió Meg o el motel en el que se alojó o la Universidad de Cascades u otra cosa referente a ella, no obtengo ninguna información.

Entonces miro de nuevo las notas y veo que todo el mundo tiene que utilizar algún tipo de identificación. Está claro que Meg no utilizaría su verdadero nombre. De modo que pruebo otros. Runtmeyer. Pero no obtengo ningún resultado. Luisa, su segundo nombre de pila. Nada. Tecleo los nombres de sus bandas favoritas. De las estrellas femeninas del *rock* a las que quería parecerse. Nada. Cuando estoy a punto de darme por vencida, tecleo «Luciérnaga».

En la pantalla aparecen numerosos mensajes. Algunos contienen referencias a las luciérnagas. Hay al menos una docena de nombres de usuarios que constituyen una variación de Luciérnaga. Al parecer es un nombre popular, quizá porque las luciérnagas tienen una vida muy corta.

Y mientras contemplo los *links* entre luciérnagas y personas con tendencias suicidas, lo veo: Luciérnaga2110. 21/10. El 21 de octubre. La fecha en que nació Scottie. En la línea de Asunto pone «Pasos tentativos».

> Llevo mucho tiempo pensando en esto y no sé si estoy preparada, pero reconozco que pienso en ello. Por más que me gustaría pensar que soy Buffy, una tía genial, que no se achanta ante nada, no sé si tengo el valor necesario para hacerlo. ¿Lo tiene alguien?

Esto es lo que deben de sentir los arqueólogos cuando descubren una civilización oculta. O lo que sintió el tipo que encontró el *Titanic* en el fondo del mar. Cuando sabes que algo ha desaparecido, pero tú lo has encontrado.

Porque Meg está aquí.

Leo las respuestas. Hay más de una docena. Están escritas en tono afectuoso, dándole la bienvenida al grupo, felicitándola por tener el valor de reconocer lo que siente, diciéndole que su vida le pertenece y puede hacer con ella lo que quiera. Es muy extraño, porque aunque conozco el motivo por el que estas personas la felicitan, mi primera reacción es de orgullo. Porque estas personas conocieron a mi Meg, comprobaron lo maravillosa que era.

Sigo leyendo. Muchas misivas parecen haber sido escritas por alumnos de primaria, llenas de errores gramaticales y tipográficos. Pero hay una en la parte inferior de la página de un usuario llamado All_BS que destaca entre las demás.

> ¿Pasos tentativos? ¿Qué es eso? Lao Tsé dejó dicho: «Un viaje de mil millas comienza con un solo paso». También dijo: «La vida y la muerte constituyen un hilo, la misma línea vista desde lados opuestos». Tú has dado ya tu primer paso, no hacia la muerte, sino hacia una forma diferente de vivir tu vida. Esto define a una persona que no se achanta ante nada.

17

Después de leer esa respuesta al correo electrónico de Meg, salí corriendo de la biblioteca como la cobarde que soy, jurándome que no volvería a pisar ese lugar. Tardo dos días en romper ese juramento. Y no lo hago porque soy valiente. Lo hago por la misma razón que me rendí y dormí entre sus sábanas en Tacoma. Para estar más cerca de ella. Cada vez que leo uno de sus correos, aunque escribe sobre la muerte, siento que está viva.

Luciérnaga2110
De Guatemala a Guatepeor...

Lo que me preocupa es el más allá. ¿Y si existe realmente un más allá, y es tan terrible como la vida en la Tierra? ¿Y si huyo del dolor de esta vida para aterrizar en un lugar peor? Cuando me imagino la muerte, la veo como una liberación, una evasión del dolor. Pero mi familia es católica, creen en el infierno, y aunque yo no creo en esa versión del infierno, con demonios y almas condenadas y todo lo demás, ¿y si fuera más de lo mismo? ¿Y si el infierno fuera eso?

Flg_3: El infierno es un estúpido invento cristiano para mantenerte a raya. No te lo tragues. Si sufres, haz lo que tengas que hacer para poner fin a tu sufrimiento. Los animales se arrancan las garras con los dientes. Los humanos somos más instruidos y disponemos de diversas herramientas.

Sassafrants: El infierno son los demás.

Trashtalker: Si el más allá es una mierda, mátate de nuevo.

All_BS: ¿Recuerdas el dolor que sentiste antes de nacer? ¿Recuerdas el tormento que experimentaste antes de venir a este mundo? A veces un dolor es tolerable hasta que lo tocas, hasta que te tocas un moratón que te duele. Con el dolor de la vida ocurre lo mismo; está causado por esta espiral mortal. «No es la muerte o el dolor lo que debemos temer, sino el temor al dolor o a la muerte», escribió Epicteto. No temas. No te angusties. El dolor desaparecerá y te habrás liberado.

All_BS. La persona que le dijo que era valiente. Que escribe frases completas y cita a filósofos muertos. La persona que, en un sentido retorcido, dice cosas que tienen sentido.

Leo de nuevo este último mensaje y una voz en mi cabeza grita: *Deja de hablar con ella. Déjala en paz.*

Como si esto estuviera ocurriendo. Como si no fuera demasiado tarde.

Luciérnaga2110
¿Medicarme o no medicarme?

Una persona amiga me aconsejó que fuera al centro de salud del campus para que me recetaran unas pastillas, de modo que fui a hablar con una enfermera allí. No le dije lo que me pasaba, no le hablé de lo que hemos comentado aquí. Pero la enfermera empezó a hablar sobre los primeros años en que pasas fuera de casa, estudiando en la universidad, y el Efecto Noroeste, y sonaba como el sermón de rigor. Me dio unos folletos y unas muestras y también hora para que regresara al cabo de dos semanas, pero creo que lo dejaré estar. Siempre he dicho que es preferible que te odien a que te ignoren. Puede que, en este caso, sea mejor sentir que no sentir nada.

Una cosa es teclear mensajes que envías al éter, pero tuve la impresión de que Meg estaba hablando también con alguien en el mundo real. Con otra persona, aparte de mí. La punzada de celos me avergüenza. Es patético. Estoy enzarzada en un tira y afloja, pero nadie sostiene el otro extremo de la cuerda.

Leo por encima las respuestas. Algunas personas advierten a Meg que los antidepresivos ISRS constituyen un complot de la industria farmacéutica para controlar la mente de la gente. Otros le dicen que si los toma embotarán su alma. Otros aseguran que los humanos siempre han utilizado sustancias que alteran la mente, y que los antidepresivos son simplemente la última encarnación.

Y entonces leo esta respuesta:

All_BS: Hay una diferencia entre utilizar una sustancia natural como el peyote para vivir una experiencia que expande la conciencia, y permitir que unos drones vestidos con batas de laboratorio manipulen la química de nuestro cerebro hasta el extremo de controlar nuestros pensamientos y sentimientos. ¿Has leído *Un mundo feliz*? Estos nuevos fármacos milagrosos no son sino soma, un narcótico producido por el gobierno para eliminar la individualidad y la disidencia. Luciérnaga, sentir tus sentimientos es un acto de valentía.

Esto a Meg le debío de encantar. Sentir tus sentimientos es un acto de valentía, aunque tus sentimientos te digan que debes morir.

De nuevo me pregunto ¿por qué no acudió a mí? ¿Por qué no me pidió ayuda a mí?

¿Hay algo que se me ha pasado por alto en sus correos? Abro mi correo electrónico para comprobar si me envió algún mensaje en enero, que es cuando colgó este en el foro. Pero no nos escribimos en enero.

En realidad, no fue una pelea. Fue demasiado insignificante para considerarlo una pelea. Meg iba a quedarse en Tacoma durante parte de las vacaciones de invierno debido al trabajo a tiempo parcial que había conseguido a través del programa de ayuda a los estudiantes, de modo que sólo vendría a pasar diez días en casa en Navidad y Año Nuevo. Yo tenía muchas ganas de verla, pero a última hora me dijo que tenía que ir al sur de Oregón para visitar a la familia de Joe, por lo que no vendría a casa. En circunstancias normales, me habrían invitado a ir con ellos a Oregón. Pero no lo hicieron. Es decir, hasta la víspera de Año Nuevo, cuando Meg me llamó para rogarme que fuera a reunirme con ella. «Rescátame de las vacaciones», dijo. Parecía muy alterada.

—Mis padres me sacan de quicio.

—¿De veras? —respondí—. Pues yo pasé el día de Navidad comiéndome un plato de pavo de ocho dólares en el restaurante con Tricia, y fue *mágico.*

En otro momento, Meg y yo nos habríamos reído de esto —como si mi patética vida con Tricia correspondiera a otra persona—, pero no era así y no tenía nada de divertido.

—Ya —dijo Meg—. Lo siento.

Yo trataba de despertar su compasión, y cuando lo conseguí, sólo sirvió para que me enfureciera más. Le dije que tenía trabajo, y colgamos. Y cuando llegó Año Nuevo, ni siquiera nos llamamos.

A raíz de ese incidente estuvimos un tiempo sin comunicarnos. Yo no sabía cómo romper el hielo porque en realidad no nos habíamos peleado. Cuando el señor Purdue me tocó el culo —por fin una noticia—, vi la oportunidad que yo buscaba, y le envié un correo electrónico como si no hubiera ocurrido nada entre las dos.

Retrocedo hasta septiembre, cuando Meg se marchó para estudiar en la universidad. Leo sus primeros correos, las prolijas descripciones sobre sus compañeros de residencia, acompañadas por unos dibujos escaneados. Recuerdo que leí esos mensajes una y otra vez, aunque su lectura me producía un dolor físico. La echaba mucho de menos y deseaba estar allí con ella, poder llevar a cabo nuestros planes. Pero nunca se lo dije.

Hay muchas cosas que no le dije. Pero son muchas más las que ella no me dijo a mí.

Luciérnaga2110
Culpa

No dejo de pensar en mi familia, no tanto en mis padres, sino en mi hermano pequeño. ¿Cómo le afectará esto?

All_BS: James Baldwin escribió: «La libertad no es algo que pueda concederse a alguien. La libertad es algo que las personas toman, y las personas son tan libres como desean serlo». Tienes que decidir si estás dispuesta a aferrar tu libertad, y si al hacerlo, quizá liberes a otros. ¿Quién sabe por qué senda conducirá tu decisión a tu hermano? Es posible que, una vez libre de tu sombra, quizá libre para ser él mismo, consiga llevar a cabo un potencial que de otra forma no hubiera alcanzado.

Luciérnaga2110: All_BS, eres increíblemente perspicaz. Siempre pienso que mi hermano se siente condicionado por mí, por mi madre. Si nosotras no existiéramos, sería una persona distinta. Pero son cosas que no se pueden decir.

All_BS: Pero tú y yo las decimos.

Luciérnaga2110: Exacto. Por esto me encanta este foro. Todo vale. Todo puede decirse. Incluso las cosas que no pueden decirse.

All_BS: Sí. Hay demasiados tabúes en nuestra cultura, empezando por la muerte. En otras culturas se contempla como parte de un ciclo infinito: nacimiento, vida, muerte. Asimismo, otras culturas ven el suicido como una senda valiente y honorable hacia la vida. El samurái Yamamoto Tsunetomo escribió: «La senda del guerrero es la muerte. Lo cual significa elegir la muerte siempre que debas elegir entre la vida y la muerte. No significa más que eso. Significa llegar hasta el final, con decisión». Creo que tú eres una guerrera, Luciérnaga.

Luciérnaga2110: ¿Yo una guerrera? No creo ser capaz de manejar una espada.

All_BS: No se trata de una espada. Se trata del espíritu. Debes utilizar tu fortaleza.

Luciérnaga2110: ¿Cómo? ¿Cómo puedo acceder a ella? ¿Cómo puedo hacer algo que requiere tanta valentía?

All_BS: Fuerza tu valor hasta el límite.

Luciérnaga2110: Fuerza tu valor hasta el límite. ¡Me gusta! Siempre dices cosas muy inspiradoras. Me pasaría todo el día hablando contigo.

All_BS: La frase no es mía. Es de Shakespeare. Pero existe un medio de comunicarnos de forma más inmediata, y en privado. Abre una nueva cuenta de correo electrónico y envíame la dirección. Yo te enviaré instrucciones y a partir de ahí seguiremos comunicándonos.

Siento de nuevo el sabor amargo de la envidia. No sé si es porque percibo la intimidad que se había establecido entre Meg y All_BS. O si es porque en la lista de personas a las que le preocupaba dejar, Meg mencionaba a sus padres y a su hermano, pero no a mí.

18

Tengo una nueva clienta. La señora Driggs. Me enseña su casa y ambas nos comportamos como si yo no hubiera estado nunca aquí. Es curioso que, cuando empiezas a fingir, te das cuenta de que los demás también lo hacen.

No es una casa muy grande —de estilo rancho, con tres dormitorios—, y está bastante limpia porque la señora Driggs vive aquí sola. Su marido no está, ha muerto o se han divorciado o quizá no estuvo nunca aquí. La última vez que yo estuve en esta casa, vivía sola con su hijo, Jeremy, quien, como sabe todo el mundo en la ciudad, cumple una condena de tres años en Coyote Ridge por tráfico de drogas. Entró en prisión hace un año, pero la señora Driggs me enseña su habitación, me pide que cambie las sábanas de su cama cada semana y que pase el aspirador por la moqueta.

La habitación de Jeremy tiene prácticamente el mismo aspecto que la última vez que estuve aquí, cuando Meg estudiaba en el instituto: los pósteres de *reggae*, los adornos psicodélicos en las paredes. Meg había oído decir que Jeremy tenía una serpiente y estaba empeñada en verla comer. De modo que, aunque él iba a un curso más avanzado que nosotras, ella consiguió que nos invitara a su casa.

El amplio terrario con su frondosa selva tropical ha desaparecido. Al igual que la serpiente, *Hendrix*. ¿Qué fue de ella? ¿Murió, o se deshizo la señora Driggs de ella cuando Jeremy fue enviado a la cárcel?

Cuando me hace pasar a la habitación de su hijo siento náuseas, al igual que hace cuatro años, cuando Jeremy sacó un ratón de una bolsa y lo arrojó en la jaula de *Hendrix*. Yo no sabía que un ratón se asemejaba a una mascota, tan rosado y blanco que era casi translúcido. No movió un músculo, salvo su hociquillo, que no cesaba de temblar; era evidente que sabía lo que le esperaba. La serpiente, enroscada en un rincón, tampoco se movió, no dio señal de haberse dado cuenta de que había llegado su almuerzo. Durante unos instantes, ambos animales permanecieron inmóviles. Luego *Hendrix* se abalanzó sobre el ratón y, con un ágil movimiento, lo estranguló. Una vez muerto el ratón, la serpiente abrió sus fauces y empezó a engullirlo entero. Yo no pude seguir contemplando la escena, de modo que fui a esperar en la cocina. La señora Driggs estaba allí, ocupada con las facturas. «Es horrible, ¿verdad?», preguntó. Al principio pensé que se refería a las facturas, pero entonces comprendí que se refería a la serpiente.

Meg me contó que podía verse el bulto del ratón dentro del cuerpo de la serpiente, y cuando regresó al día siguiente, el bulto seguía allí, aunque más pequeño. Le pareció una experiencia fascinante, y regresó varias veces para ver comer a *Hendrix*. Yo tuve bastante con una.

Unas tres semanas después del día que pasamos juntos en Seattle, recibo una llamada de Ben.

—No me has escrito; no me has llamado —dice con tono guasón—. ¿No te interesan los gatitos?

—¿Están bien? —pregunto, temiendo que me haya llamado para decirme que les ha atropellado un camión.

—Están bien. Mis compañeros de residencia se ocupan de ellos.

—¿Por qué no lo haces tú? —Al fondo oigo mucho ruido, gente, el tintineo de vasos—. ¿Dónde estás?

—En Missoula —responde—. La chica que toca el bajo con Fifteen Seconds of Julie se ha roto el brazo y nos han pedido que hagamos de teloneros de los Shug en una minigira. ¿Tú qué haces?

¿Que qué hago? Limpio las casas de otras personas y me pudro en la mía, leyendo y releyendo los correos entre Meg y All_BS, sin saber qué hacer a partir de aquí. Después de los últimos mensajes, la comunicación entre ellos disminuye, por lo que es evidente que continuaron su conversación fuera del foro. Pero ¿dónde? No he podido encontrar nada en el ordenador de Meg. Encontré la nueva dirección de correo electrónico que All_BS le dijo que abriera, pero cuando envié un mensaje a esa dirección, me fue devuelto. Pedí a Harry que indagara en ello. Me dijo que la cuenta había sido activada y desactivada tres días más tarde, por lo que es probable que Meg la abriera sólo para que All_BS pudiera indicarle la forma de ponerse en contacto con él directamente. «Todo indica que ambos se andaban con cautela —me escribió Harry—. Y tú deberías hacer lo mismo.»

Cautela. Quizás eso explique los correos enviados que Meg eliminó. Quería borrar sus huellas, con discreción.

Por otra parte, no dejo de obsesionarme con esta persona amiga que le aconsejó que se medicara. ¿Quién era? ¿Una confidente? En tal caso, ¿le confió también Meg que se había puesto en contacto con los de La Solución Final?

Le pregunté a Alice si había aconsejado a Meg que se medicara, pero me dijo que no, y que no le constaba que estuviera tomando pastillas recetadas por un médico. Luego ella le preguntó a Richard el Drogata, que me llamó asegurándome que no sabía nada del tema y que preguntara a algunos de los amigos que tenía Meg en Seattle. Yo ya había pensado en Ben, y cuando Richard me dijo eso, se me ocurrió de nuevo que quizá fuera él el amigo al que se había referido Meg. Pero al parecer no era tan amigo como para que ella lo llamara.

—Estoy en las mismas —digo.

—¿Qué haces mañana por la noche? —me pregunta.

—Nada. No sé. ¿Por qué?

—¿Vives cerca de Spokane?

—Cerca es un término relativo aquí. A unos ciento sesenta kilómetros.

—Ah, pensé que vivías más cerca.

—No. ¿Por qué?

—Mañana por la noche tocamos en Spokane. Nuestra última actuación antes de regresar a casa. Pensé que quizá te gustaría venir.

Abro la carpeta que contiene unas copias de los correos de Meg. Los he releído una y mil veces, pero no he logrado averiguar quién es All_BS. Sospecho que es un hombre y mayor que Meg. Pero es tan sólo una corazonada. Quizá Ben consiga conectarme con el misterioso amigo. Quizás el misterioso amigo es él.

No quiero ver a Ben. O quizá no quiero querer verlo. Pero necesito verlo, de modo que le digo que sí.

El viaje a Spokane es caro y una lata, porque el último autocar de regreso aquí parte muy temprano y no quiero pasar allí toda la noche. Pregunto a Tricia si puedo utilizar su coche.

—No. Quiero conseguir un dinerito extra —responde, imitando una máquina tragaperras y emitiendo un sonido como si recogiera monedas—. ¿Quieres venir?

A Tricia le encanta el juego, quizá porque es el único ámbito en su vida en el que tiene suerte. Cuando yo era más pequeña, me llevó varias veces al casino indio en Wenatchee.

—No, gracias —le digo.

Tomo un autocar a Spokane, pensando en hablar con Ben y no asistir a su actuación si no consigo que alguien me traiga de regreso en coche. Durante el trayecto de ida, a ratos estoy hecha un manojo de nervios y otros siento náuseas, lo cual es bastante frecuente últimamente. Dedicar tanto tiempo a investigar la relación de Meg y All_BS me produce un estado constante de ansiedad. Apenas como y duermo mal, y he perdido tanto peso que Tricia dice que parezco una supermodelo.

Desde la terminal de autocares, en el centro de la ciudad, hay un breve paseo a pie hasta el restaurante mexicano, donde Ben me ha dicho que me reúna con él. Hace un tiempo cálido, seco y polvoriento, porque este año el verano ha dado paso al invierno sin pasar por la primavera, lo cual encaja con todo lo demás. Todo es extremo, no hay tiempo para transiciones moderadas.

Ben ya está en el restaurante, que está casi desierto, sentado en un reservado al fondo. Cuando me ve, se levanta apresuradamente; parece al mismo tiempo cansado —probablemente debido a la gira— y feliz, quizá debido también a la gira.

Cuando me acerco al reservado, los dos nos quedamos mirándonos unos segundos sin saber qué hacer. Después de una pausa un tanto incómoda, pregunto:

—¿Nos sentamos?

—Sí, sentémonos.

En la mesa hay un paquete de seis latas de cerveza.

—Aquí puedes traerte tus bebidas —me explica Ben—. ¿Quieres una?

Tomo una cerveza. La camarera deposita en la mesa una cestita de patatas fritas y salsa. Tomo una y compruebo, sorprendida, que consigo comérmela. Nos bebemos nuestras cervezas y charlamos un rato de cosas intrascendentes. Me habla de la gira, de los suelos en los que han tenido que dormir, me cuenta que tuvo que compartir el cepillo de dientes con el batería porque se había dejado el suyo. Yo le digo que me parece asqueroso. Que puedes comprar cepillos de dientes en cualquier 7-Eleven. Pero él contesta que en tal caso no habría podido contarme esa anécdota tan divertida, y entonces recuerdo que Ben McCallister es un redomado cuentista.

Hablamos sobre los gatos, y me enseña unas fotos en su teléfono móvil. Me choca que un chico de su edad lleve un montón de fotos de gatitos en su móvil. La camarera nos trae la comida y hablamos sobre otras nimiedades, y al cabo de un rato me doy cuenta de que evito abordar el tema por el que he venido aquí.

Respiro hondo y digo:

—He encontrado unas cosas.

Ben me mira. Esos ojos... Tengo que desviar la vista.

—¿Qué cosas?

—En el ordenador de Meg. Y otras cosas a partir de esas.

Empiezo por hablarle del documento que Harry ha desencriptado. Había pensado enseñarle los correos que Meg había escrito a All_BS —los he traído—, pero no tengo oportunidad de hacerlo, porque de improviso Ben arremete contra mí.

—Creí que habíamos quedado en que si encontrabas algo me lo dirías —dice.

—Te lo digo ahora.

—Ya, pero porque yo te llamé. ¿Y si no lo hubiera hecho?

—Lo siento. No creí que mereciese la pena.

No lo digo para ofenderle, pero él se reclina en el asiento y me mira cabreado.

—De modo que a la Vaquera Cody le gusta ir por libre, ¿eh? —gruñe.

—Antes no era así —contesto. Aparto mi plato. He perdido el apetito—. Por eso hago esto.

Ben guarda silencio un momento.

—Perdona. Ya lo sé.

Presiono los dedos sobre mis ojos hasta que todo se vuelve negro.

—Mira, Meg comentó que había hablado con alguien que le había aconsejado que fuera al centro médico del campus y pidiera que le dieran unos antidepresivos. Pensé que se refería a ti.

Ben suelta un resoplido.

—Vaya, hombre.

—No es extraño que lo pensara. Ella te envió un montón de correos.

—En ellos no decía nada sobre antidepresivos. —Ben abre otra lata de cerveza—. Tú misma los has leído. Esos correos eran como un monólogo interior, más que enviármelos parecía como si me los arrojara a la cara.

—Supongo que tienes razón.

—Y yo le dije que me dejara en paz, ¿recuerdas, Cody? —Juguetea con su cajetilla de tabaco—. No fui yo. Probablemente fue uno de sus compañeros de residencia.

—No fue Alice, y tampoco Richard. Según ellos, no fue ninguno de sus compañeros de Cascades. Aunque quizá lo fuera, no los conozco a todos. Pero Richard piensa que probablemente fue uno de sus amigos de Seattle.

Ben se encoge de hombros.

—Es posible. Pero no fui yo. Pero ¿qué importa esto ahora?

Importa porque si Meg habló con alguien sobre las pastillas, quizá le hablara también sobre All_BS y los correos electrónicos. Pero no digo nada a Ben sobre La Solución Final. No quiero que vuelva a mosquearse, aunque no tiene derecho a hacerlo.

—Necesito respuestas —digo, sin concretar.

—¿Por qué no preguntas en el centro médico del campus?

Niego con la cabeza.

—No puedo. Debido a la confidencialidad entre médico y paciente.

—Ya, pero la paciente ha muerto. —Ben se detiene, como si esto representara una novedad para mí.

—No me dirán nada. Ya lo he intentado.

—Quizá podrían intentarlo sus padres.

Niego de nuevo con la cabeza.

—¿Por qué? —pregunta.

—Porque ellos no saben nada de esto.

—¿No se lo has dicho?

No. No les he dicho nada de esto. El secreto parece haberse hecho más grande, casi como un tumor. Es imposible que se lo diga ahora a los García. Les destrozaría. Pero no dejo de pensar que si lograra averiguar algo más sobre All_BS, lo suficiente para que pudiera ayudarles, entonces se lo diría. Entonces podría mirarles a la cara. Hace varias semanas que no voy por su casa. Sue me ha dejado varios mensajes de voz, invitándome a cenar, pero la perspectiva de estar en la misma habitación con ellos…

—No puedo —digo, apoyando la cabeza en la mesa.

Ben alarga el brazo y me toca la mano, un gesto al mismo tiempo sorprendente y sorprendentemente reconfortante.

—De acuerdo. Recorreremos los locales nocturnos de Seattle para averiguar si Meg habló con alguien.

—¿Tú y yo? —pregunto, aliviada.

Ben asiente.

—Mañana por la mañana regresamos a casa. Puedes volver en el coche con nosotros. Visitaremos los locales nocturnos que frecuentaba Meg. Preguntaremos a la gente que la conocía. Repasaremos sus correos electrónicos. Encontraremos algunas respuestas.

Esa noche, observo detenidamente a Ben mientras actúa. Es una buena banda, no magnífica, pero buena. Él canta con voz áspera y gutural mientras se inclina sobre el micro, y veo su carisma. Veo cómo las chicas entre el público reaccionan, y perdono un poco a Meg por haberse enamorado. Comprendo que no pudiera resistirse a él.

En cierto momento, Ben se protege los ojos y mira hacia los focos, como hizo la primera vez que le vi tocar. Sólo que esta vez tengo la clara impresión de que me mira a mí.

19

Después del espectáculo, nos quedamos a dormir en casa de alguien. Yo comparto una habitación con una estudiante llena de *piercings* llamada Lorraine, bastante simpática, aunque no deja de hablar de los chicos de la banda. Ben y el resto de los Scarps duermen en el sofá o en el sótano en unos sacos de dormir. A la mañana siguiente, todos comemos unos panecillos que parecen rescatados de un contenedor de basura y luego cargamos la furgoneta.

—Prepárate —dice Ben.

—¿Para qué?

—El tufo. Ocho noches en la carretera. Pillarás una tiña inguinal de ir sentada en la furgoneta.

El resto de los miembros de la banda me miran con recelo. ¿Saben que soy la amiga del ligue de una noche de Ben?

Me siento en una improvisada banqueta formada por unas tablas alargadas apiladas sobre un par de amplificadores. Ben se sienta a mi lado. Tomamos la I-90, y los chicos se ponen a discutir sobre la música que quieren escuchar. Nadie me dirige la palabra. Cuando paramos para repostar, los chicos aprovechan para comprar un montón de comida basura. Pregunto a Ben qué pasa.

—He violado el código.

—¿Qué código?

—No se permiten chicas en la furgoneta.

—Ah.

—Pero tú no eres una chica. —Ben me mira turbado—. Al menos, no de ese tipo.

—¿Qué tipo de chica soy?

Menea la cabeza.

—Aún no lo sé. Una especie que todavía no ha sido descubierta.

Me quedo dormida en las inmediaciones de Lake Moses y me despierto sobresaltada, apoyada contra Ben, con los oídos estallándome mientras bajamos el puerto de Snoqualmie.

—Dios, lo siento.

—Tranquila —responde, sonriendo un poco.

—¿He babeado?

—No se lo diré a nadie.

Sigue sonriendo.

—¿Qué te hace tanta gracia?

—Has roto tu promesa de no dormir nunca cerca de donde esté yo.

Me aparto bruscamente de él.

—Técnicamente, la rompí anoche, cuando dormí bajo el mismo techo que tú. Puedes apuntarte un tanto. Es lo único que conseguirás de mí.

Sus ojos chispean, y durante unos segundos veo al Ben de siempre, el capullo. Casi me alegro de haberlo recuperado. Pero luego se aparta un poco, farfullando entre dientes.

—¿Qué has dicho?

—No tienes que echarme la bronca.

—Lo siento. ¿He herido tus sentimientos? —Mi voz destila sarcasmo, y no entiendo por qué me he cabreado tanto de repente.

Ben se aparta más, y me choca comprobar que he herido realmente sus sentimientos.

—Mira, lo siento... —digo—. Estoy cansada y nerviosa debido a este asunto.

—No te preocupes.

—No quiero comportarme como una cabrona.

Sonríe de nuevo.

—¿Qué he dicho ahora?

—La mayoría de chicas no se describirían como una cabrona.

—¿Prefieres que diga que soy una hija de p...?

—No —me corta Ben—. Odio esa palabra.

—¿De veras? La mayoría de chicos que conozco piensan que es intercambiable con hembra.

—Ya. Mi padre es uno de ellos. Llamaba a mi madre siempre así.

—Qué horror.

—Lo horroroso es que ella se lo consintiera.

Pese a todos los defectos de Tricia, que son legión, no suele traer a casa los dramas que vive con sus novios. Sus ligues no pasan nunca la noche en casa. Ella va a las de ellos. Si la insultan o le dicen groserías, al menos yo no me entero.

—¿Por qué lo consentía tu madre? —pregunto.

Ben se encoge de hombros.

—Se quedó embarazada de mi hermano cuando tenía diecisiete años. Se casó con mi padre. Tuvo otros tres hijos antes de cumplir los veintitrés, de modo que no podía separarse de él. Mi padre se iba siempre de juerga, era muy mujeriego. Tiene otros dos hijos con su amiga; es un secreto a voces. Todo el mundo lo sabe. Incluso mi madre. Pero siguió casada con él. No se divorciaron hasta que la amiga de mi padre amenazó con denunciarlo por no pasarle una pensión para su hijo. A mi padre le resultó más fácil y más barato dejar a mi madre y casarse con su amiga. Sabía que mi madre jamás le denunciaría.

—Es terrible.

—La cosa no acaba ahí. Cuando mi madre se libra por fin de ese cabrón, mis hermanos y yo ya somos mayores, más independientes. Las cosas parecen ir bien. ¿Y qué hace mi madre? Se queda embarazada de nuevo.

—¿Cuántos hermanos sois?

—Mi madre tuvo cinco hijos, cuatro con mi padre y uno con su actual compañero, que es un gilipollas. Y mi padre tiene otros dos, que yo sepa, aunque estoy seguro de que tiene más. Opina que el control de la natalidad es cosa de las mujeres.

—Parecéis los paletos de *La tribu de los Brady*.

—Lo sé. —Ben se ríe—. Pero no teníamos una sirvienta como... no recuerdo su nombre.

—Alice —digo.

—Alice. —Ben sonríe—. La nuestra habría tenido uno de esos nombres rimbombantes de algunas blancas de clase obrera, como Tiffani.

—O Cody.

Ben me mira perplejo. Le recuerdo que me gano la vida limpiando casas.

Él se sonroja.

—Perdona, lo había olvidado. No pretendía ofenderte.

—Vamos, hombre, es un poco tarde para eso —digo, pero sonrío y él hace lo propio.

—De acuerdo, ¿cuál es tu historia? —me pregunta.

—¿Mi historia? ¿Te refieres a mi familia?

Arquea las cejas, como recordándome que él me ha revelado sus interioridades y que ahora me toca a mí.

—No hay mucho que contar. Se parece a tu historia y lo contrario a ella. Vivo sola con mi madre, Tricia. Mi padre no está.

—¿Se separaron?

—Nunca estuvieron juntos. Ella se refiere a él como el donante de esperma, aunque es evidente que no lo era, porque eso significaría que Tricia quiso tenerme.

Tricia ha guardado un mutismo sobre mi padre nada propio en ella, y a lo largo de los años he sospechado que es porque está casado. A veces me lo imagino viviendo en una bonita casa, con una bonita esposa y unos bonitos hijos, y la mayor parte de las veces lo odio por eso, pero otras, lo entiendo. Es una vida agradable, y si yo fuera él, tampoco querría que alguien como yo me la arruinara.

—Tricia piensa que me crió ella sola —continúo—, pero en realidad me criaron los García.

—¿La familia de Meg?

—Sí. Es como si fueran mi auténtica familia. Mamá, papá y dos hijos. —Me detengo para rectificar, pero miro a Ben y veo que no es preciso—. Comidas familiares. Partidas de Scrabble. Esas cosas. A veces pienso que, si no hubiera conocido a Meg, jamás habría sabido lo que era una familia normal.

Hago una pausa. Porque al recordar esos ratos en casa de los García, viendo películas en su gastado sofá, inventándonos obras de teatro y obligando a Scottie a actuar en ellas, quedándonos despiertos hasta altas horas de la noche junto a las brasas de la hoguera cuando íbamos de campin, siento un calor reconfortante. *Pero.* Siempre el *pero.*

Ben me observa, como esperando que yo diga algo más.

—Pero si a las personas normales les suceden esas tragedias, ¿qué esperanza nos queda al resto de nosotros? —le pregunto.

Menea la cabeza. Como si él tampoco lo supiera.

20

Cuando regresamos a casa de Ben, él saca las cosas de su bolsa y luego nos entretenemos durante media hora proyectando la luz de una linterna sobre las paredes y observando a *Pete* y a *Repeat* perseguir el haz. Posiblemente es el rato más divertido que he pasado en muchos meses.

Ben redacta una lista de los locales nocturnos que frecuentaba Meg. Ninguno abre hasta aproximadamente las once, y permanecen abiertos hasta las cuatro de la mañana. Antes de partir en su coche, nos tomamos unos expresos en la cafetería de su barrio.

El primer local es el que está en Fremont, donde conocí a Ben. Me presenta a un grupo de chicas muy peripuestas, que lucen unos vestidos y unos zapatos a la última. Son amigas de Meg. Todas tienen una década más que ella, pero eso no representaría un problema para ella. Cuando Ben les explica quién soy, una de ellas me abraza de forma espontánea. Luego se aparta un poco y dice:

—Lo superarás. Sé que en estos momentos piensas que no podrás, pero te aseguro que sí.

Sin preguntarle nada, entiendo que ella también ha pasado por esto, que alguien la ha abandonado, lo cual hace que me sienta menos sola.

Ninguna de estas mujeres sabe que Meg había acudido al centro de salud; la mayoría ni siquiera saben que estudiaba en la universidad. Si Meg no les contó siquiera eso, lo más probable es que tampoco sepan nada sobre La Solución Final. Yo me abstengo de sacar el tema.

Ben y yo vamos a otro local. Apenas hemos pasado junto al gorila que está en la puerta cuando una chica con una melena larga y rubia se arroja al cuello de Ben.

—¿Dónde te has metido? —pregunta—. Te he enviado un centenar de mensajes de texto.

Él no le devuelve el abrazo, sino que se limita a darle unos golpecitos en el hombro, turbado. Al cabo de un minuto la chica retrocede unos pasos, frunciendo los labios en un falso mohín. Entonces se fija en mí.

—Hola, Clem —dice Ben. Parece cansado—. He estado de gira.

—Conque de gira, ¿eh? ¿Ahora se llama así? —pregunta ella, sin dejar de mirarme.

—Hola, me llamo Cody.

—Cody es amiga de Meg —añade Ben—. ¿Conocías a Meg García?

Clem se vuelve hacia él.

—¿En serio? ¿Estás organizando un club para las mujeres a las que has dejado tiradas? ¿Pretendes que vayamos todas vestidas con atuendos idénticos? —La chica pone los ojos en blanco y esboza un mohín de disgusto. A continuación emite un bufido de desdén y se aleja al tiempo que hace a Ben un gesto obsceno con el dedo corazón.

—Lo siento —me dice él, dirigiéndose a sus zapatos.

—¿Por qué?

—Ella fue... Hace un tiempo... —empieza a decir, pero yo agito las manos para silenciarlo.

—No tienes que darme explicaciones.

Ben se dispone a decir algo más, pero en ese momento ve a un tipo con unos lentes gruesos con montura de pasta y el tupé más complicado que he visto en mi vida. Está junto a una chica con el pelo corto y los labios pintados de rojo.

—Ese es Hidecki —dice Ben—. Conocía a Meg bastante bien.

Me los presenta y charlamos un rato, pero ni Hidecki ni la chica que le acompaña saben nada de que Meg fuera al centro de salud. Al cabo de unos minutos he agotado las preguntas que tenía preparadas y él me pregunta cómo están los gatos.

—¿Sabías que Meg tenía unos gatos?

La chica que le acompaña me informa de que Hidecki aportó cien dólares al fondo de rehabilitación de los meninos.

—Por eso quiere saber cómo están.

—Cien dólares… —digo—. Caray, deben de gustarte mucho los gatos.

—Me gustaba Meg —me corrige él—. Además, me ahorró como mínimo esa cantidad de dinero cuando reparó mi amplificador.

—¿Ella reparó tu amplificador?

Hidecki asiente con la cabeza.

—Cambió el potenciómetro del volumen y me enseñó cómo hacerlo. Al principio yo tenía mis dudas, pero Meg demostró que sabía manejar un soldador.

—Sí, no cabe duda —respondo—. Los gatos están perfectamente. Los ha adoptado Ben.

—¿Ben? —Hidecki le dirige una mirada que yo no describiría exactamente como amistosa.

—Sí, incluso tiene unas fotos de ellos en el móvil. Enséñales las fotos, anda.

—En otro momento —contesta Ben secamente—. Tenemos que ir a otros locales.

Visitamos otros tres. Ben me presenta a un montón de personas que conocían a Meg. Que la echan de menos. Pero nadie sabe nada sobre el centro de salud. Me facilitan los nombres y las direcciones de correos electrónicos de otras personas que tenían amistad con Meg. A las cuatro de la mañana, no tenemos ninguna pista fiable, pero sí varios contactos que quizá nos sean útiles. Estoy tan cansada que mis piernas apenas me sostienen y los blancos de los ojos de Ben están más enrojecidos que los de Richard el Drogata después de fumarse varias pipas. Propongo que nos vayamos a dormir.

Cuando regresamos a casa, Ben me conduce a su dormitorio. Yo me detengo en el pasillo frente a la puerta, como si la habitación fuera radiactiva. Él me mira.

—Puedes dormir aquí. Yo me acostaré en el sofá.

—No es necesario —respondo—. Yo dormiré en el sofá.

—Aquí estarás más cómoda. Y más tranquila.

Tuerzo el gesto.

—Lo siento, Ben, pero por tus sábanas ha pasado la mitad de la población femenina de Seattle.

—No es lo que piensas, Cody.

—¿Ah, no? —contesto con desdén.

—Durante un tiempo Clem fue... Olvídalo. Cambiaré las sábanas.

—No me importa dormir en el sofá.

—Deja que cambie las malditas sábanas, Cody.

No le reprocho que esté cabreado. Son las cinco de la mañana y acaba de llegar de una gira de ocho noches durante las cuales ha dormido en suelos y en furgonetas. Sin embargo, hace la cama, ahueca las almohadas y retira una esquina del edredón para darle un aspecto más acogedor.

Me acurruco contra las almohadas. Los gatos se suben a la cama y se instalan a los pies de la misma, donde supongo que suelen dormir.

Oigo a Ben lavarse los dientes y luego el crujido de las tablas del suelo bajo sus pies. Se detiene en la puerta del dormitorio, y durante un segundo temo que entre y durante un segundo temo desear que lo haga. Pero se queda en el pasillo.

—Buenas noches, Cody.

—Buenas noches. Ben.

Duermo hasta el mediodía y me despierto descansada; el malestar que llevo encima como una segunda piel ha desaparecido. Cuando entro en la cocina, Ben ya está levantado, bebiéndose un café y charlando con sus compañeros de casa, a quienes me presenta. Está desayunando un bol de cereales y me ofrece un poco.

—Yo me los prepararé. —Tomo un bol del escurridor y una caja de cereales de la alacena. Es curioso lo cómoda que me siento en esta casa.

Ben me sonríe, como si también se diera cuenta de esta novedad, y sigue conversando con sus compañeros sobre la gira. Son simpáticos, no unos tipos roqueros como yo imaginaba, sino estudiantes y gente que trabaja. Uno de ellos creció en una población a unos treinta kilómetros de donde vivo. Nos quejamos de la situación en el este del estado de Washington, que parece como si se hubiera quedado atrapado en el túnel del tiempo, y nos preguntamos por qué, cuando atraviesas la cordillera de las Cascadas, en dirección este, la gente empieza a hablar con acento sureño.

Ha salido el sol y el monte Rainier preside la ciudad. Es uno de esos días que hace que te olvides de lo que sucede aquí entre octubre y abril. Después de desayunar, Ben y yo bajamos los escalones que conducen al jardín. A un lado hay una pila de objetos de madera, cubiertos con una lona.

—¿Qué es eso? —le pregunto.

Él se encoge de hombros.

—Cosas que hago durante mis numerosos ratos libres.

Levanto la lona y veo los extremos de unas baldas, que presentan unas líneas limpias y biseladas como las estanterías que hay en la casa.

—¿Las has hecho tú?

Ben vuelve a encogerse de hombros.

—Están muy bien.

—Lo dices como si te chocara.

—No me choca, estoy un poco sorprendida.

Nos sentamos en los escalones de madera y observamos a *Pete* y a *Repeat* mientras persiguen las hojas caídas de los árboles y se pelean entre sí.

—Se divierten de lo lindo —comenta Ben.

—¿Cómo? ¿Peleándose?

—Existiendo, simplemente.

—Quizá debería reencarnarme en una gata.

Me mira de refilón.

—O en un pez de colores. Algún estúpido animal.

—Eh —dice, fingiendo ofenderse en nombre de *Pete* y *Repeat.*

—Fíjate en lo fácil que les resulta. ¿De qué nos sirve nuestra inteligencia si hace que nos volvamos locos? Otros animales no se matan unos a otros.

Ben observa a los gatos, que en estos momentos se dedican a tirar de una rama caída.

—Eso no lo sabemos con certeza. Los animales quizá no ingieran veneno, pero pueden dejar de comer o separarse de la manada, sabiendo que si lo hacen serán devorados por otro animal o por una persona.

—Es posible. —Señalo a los gatos—. No obstante, me gustaría volver a sentirme alegre y despreocupada. Empiezo a dudar de que alguna vez me sintiera así. ¿Y tú?

Ben asiente con la cabeza.

—Cuando era pequeño. Después de que mi padre se fuera de casa, antes de que mi madre se enrollara de nuevo con un tío y se quedara embarazada de mi hermana menor. Mis hermanos y yo jugábamos a los exploradores. Nos bañábamos en el río o construíamos fortalezas en el bosque detrás de donde vivíamos. Era como ser Tom Sawyer.

Miro a Ben, tratando de imaginármelo como un niño despreocupado.

—¿Por qué me miras así? —pregunta—. ¿No te crees que he leído *Tom Sawyer?*

Me río. Es un sonido extraño.

—También he leído *Huck Finn*. Soy muy intelectual.

—No sé si eres intelectual, pero sé que eres inteligente. De lo contrario Meg no hubiera perdido el tiempo contigo. Por guapo que fueras. —Noto que me sonrojo un poco y aparto la vista.

—Tú tampoco estás mal, Cody Reynolds —responde—. Es decir, para ser una cabrona.

Me vuelvo para mirarlo, y durante un segundo me olvido de todo. Entonces recuerdo que no debo olvidarlo.

—Tengo que decirte otra cosa.

Los ojos de Ben cambian de verde a ámbar, como un semáforo.

—He encontrado otras cosas que escribió Meg. Unos correos que había colgado la web de ese grupo de apoyo a suicidas.

Me mira ladeando la cabeza.

—No es un grupo de apoyo como imaginas.

Sus ojos cambian de nuevo, de ámbar a rojo. *Basta.* Pero no puedo detenerme.

—Será mejor que los leas. Te he traído unas copias impresas. Las he dejado en tu habitación con mis cosas.

Lo sigo escaleras arriba en silencio; el calor del día ha sido sustituido por un ambiente frío, aunque el sol luce con fuerza. Saco un manojo de papeles.

—Empieza por el principio.

Lo observo mientras lee. Es como observar un alud. Primero caen unos copos de nieve arrastrados por el viento, luego un torrente de nieve, y por último todo su rostro se descompone. Experimento de nuevo una sensación de náuseas, multiplicada por cien debido a las emociones que traslucen su semblante.

Cuando deja la última página, alza la vista y me mira con una expresión sobrecogedora. Es una mezcla de furia y culpa, que yo sé encajar porque estoy acostumbrada a ella, pero al mismo tiempo de temor y angustia, que hace que me estallen unas bombas en la tripa.

—¡Joder! —exclama.

—Lo sé —digo—. Ese tipo tuvo algo que ver en su muerte.

Pero Ben no responde. Se acerca a su ordenador portátil y lo trae al futón. Abre su programa de correo electrónico y los mensajes de Meg. Los examina hasta dar con el que busca. Se lo escribió dos semanas antes de morir.

—Lee —dice con voz rota.

Señala el centro de la pantalla.

Últimamente apenas me he acercado por Seattle, como habrás comprobado, y reconozco que al principio fue porque me sentía deprimida y avergonzada por lo que había sucedido entre nosotros. Me parece increíble que me haya comportado como lo hice. Pero ya no me siento así. ¿Recuerdas que hace tiempo me dijiste que me buscara otra persona con quien hablar? Pues la he encontrado. Mejor dicho, he encontrado un grupo de personas increíblemente inteligentes con un punto de vista muy inconformista, y ya sabes que eso siempre me ha gustado. Creo que es por eso que me siento atraída por la música y las bandas musicales, pero vosotros, los chicos, no tenéis la exclusiva de la rebeldía. Hay muchos caminos. Hay muchas formas de vivir, de definir lo que significa vivir para ti y únicamente para ti. Somos estrechos de miras, y cuando te das cuenta de eso, cuando decides no aceptar estas cortapisas artificiales, todo es posible y te sientes liberada. Esto es lo que he aprendido de esta nueva comunidad. Me han ayudado mucho. No dudo de que a la gente le sorprenderá el camino que he tomado, pero así es la vida en el mundo del *punk rock*. Bueno, tengo que marcharme. Tengo que coger un autobús.

Termino de leer el correo y levanto la vista. Ben está encogido en una esquina del futón.

—Ella trataba de decírmelo —dice—. Trataba de hablarme sobre ese maldito grupo de ayuda al suicidio. Intentaba explicármelo.

—No pudiste deducirlo por ese correo.

—Trataba de decírmelo —repite—. En *todos* sus correos. Trataba de decírmelo. Y yo le dije que me dejara en paz. —Asesta un puñetazo contra la pared. El yeso se cuartea. Lo hace de nuevo, y sus nudillos empiezan a sangrar.

—¡Basta, Ben! —Me acerco apresuradamente a la esquina de la cama donde está sentado y le sujeto las manos antes de que golpee la pared por tercera vez—. ¡Basta! No fue culpa tuya. No fue culpa tuya.

Repito las palabras que desearía que alguien me dijera a mí, y de golpe nos besamos. Siento el sabor de su dolor y su necesidad y sus lágrimas y mis lágrimas.

—Cody. —Ben susurra mi nombre. Y su ternura me impresiona y hace que regrese a la realidad.

Me levanto de la cama de un salto. Me llevo la mano a los labios. Me meto el bajo de la camiseta dentro del pantalón.

—Debo irme —digo.

—Cody —repite él.

—Debo irme a casa ahora mismo. Mañana temprano tengo que ir a trabajar.

—Cody —me implora Ben.

Pero salgo apresuradamente de la habitación y cierro tras de mí de un portazo antes de que él repita de nuevo mi nombre.

21

Tricia está de buen humor. El fin de semana en que yo fracasé miserablemente en Seattle, ella triunfó en el casino indio, de modo que, incluso después de pagar los gastos de la comida, el hotel y la gasolina, regresa a casa con doscientos dólares de ganancias. Por la noche, mientras cenamos, despliega los billetes de veinte dólares sobre la mesa y dice que deberíamos darnos un capricho. Por regla general, para Tricia eso significa comprar algo caro e inútil que ha visto anunciado en televisión, como una heladora que utilizará dos veces y luego la convertirá en un recipiente para guardar en ella otros trastos.

—¿Qué quieres que compremos? —me pregunta.

—Un año de Internet.

—¿Por qué insistes en eso?

Yo callo.

—Has conocido a un chico —dice con una sonrisita—. Lo sé. Procura no quedarte embarazada.

Si hay algo que Tricia me ha inculcado a lo largo de los años, es no cometer el mismo error que ella.

—¿Cuántas veces has ido a Tacoma, tres, cuatro? Y quieres que instalemos Internet para poder entrar en esos *chats* y hacer lo que haces. No me digas que no se trata de un chico.

Después del beso, Ben trató de tranquilizarme, pero yo cogí mis cosas y eché a andar hacia la terminal de autocares, y él tuvo que llevarme en coche.

—No pasa nada, Cody —me dijo.

—¿Cómo puedes decir eso? —contesté—. No sé si ella puede vernos. No sé si está allí arriba, observándonos. Pero si lo está, debe de sentirse asqueada. Lo entiendes, ¿no?

Él se encogió de hombros.

—Quizá. ¿Quién sabe?

—Yo lo sé. Y de todas formas da lo mismo porque *yo* me siento asqueada.

A partir de ese momento Ben no volvió a despegar los labios. Al llegar a la terminal, le pedí que me enviara los largos correos electrónicos que le había mandado Meg, y que no volviera a ponerse en contacto conmigo.

—No se trata de un chico —le digo a Tricia.

—Si tú lo dices.

Al final, adquiere una decorativa estufa de leña para la terraza o el jardín.

He leído todos los correos que he podido encontrar escritos por All_BS. No escribe muchos. Pero sí los suficientes para dejar claro que está ahí, prestando atención. ¿Y el nombre? ¿All_BS? ¿Qué significa? ¿Es una abreviatura de *All Bullshit*?* ¿Como si se refiriera a los mensajes colgados en ese foro? ¿O quizás a la vida?

Un día, de regreso a casa de la biblioteca, veo a Sue salir con el coche del aparcamiento del restaurante de pollo frito. Mi primer impulso es ocultarme para que no me vea.

—¿Quieres que te lleve? —me pregunta, deteniéndose junto a mí.

* *All Bullshit*: «Todo es una chorrada». *(N. de la T.)*

Yo miro dentro del coche. No veo a Joe, ni a Scottie, sólo una voluminosa bolsa manchada de grasa. Sue la coloca en el asiento de atrás y abre la puerta del copiloto.

—¿Adónde vas? —pregunta, como si existieran múltiples destinos.

—A casa —respondo, lo cual es cierto—. Me espera Tricia —añado, y eso sí que no es verdad, pero temo que Sue me invite a ir a su casa y no tengo valor para hacerlo, precisamente ahora, sosteniendo la carpeta llena de copias impresas de los correos de La Solución Final.

—Apenas te hemos visto. Te he dejado varios mensajes.

—Lo siento. He estado muy liada.

—No te preocupes —dice ella—. Nosotros queremos que sigas adelante con tu vida.

—Ya lo hago —respondo. Las mentiras brotan ahora de mis labios con tal facilidad que apenas me doy cuenta de que lo son.

—Perfecto. Perfecto. —Sue mira la carpeta y empiezo a sudar. Temo que me pregunte por ella, pero no lo hace. El silencio se acrecienta entre nosotras, rielando como el calor sobre el asfalto desierto.

No es una ciudad grande, y al cabo de cinco minutos llegamos a mi casa. Me alivia ver el coche de Tricia aparcado delante, porque al menos confirma lo que he dicho.

—Quizá puedas venir a cenar una noche de la semana que viene —dice Sue. Mira la bolsa en el asiento trasero; el olor a pollo frito invade el coche—. Si vienes, prepararé el estofado que te gusta. He empezado a cocinar de nuevo.

—El estofado me encanta —respondo, abriendo la puerta.

Cuando la cierro, veo el rostro de Sue reflejado en el retrovisor exterior, y caigo en la cuenta de que las dos nos hemos convertido en unas embusteras.

Al día siguiente voy a limpiar la casa de la señora Driggs. Es uno de mis trabajos más sencillos, porque suele estar inmaculada. Al abrir la cama noto que las sábanas huelen a anciana, aunque la señora Driggs sólo debe de tener diez años más que Tricia. Friego la bañera y limpio el horno, que es autolimpiable. Limpio las ventanas con Windex. Dejo la habitación de Jeremy para el final. Tiene un aire fantasmal que me da un poco de miedo cuando paso el aspirador por la gruesa moqueta, en la que aún están impresas las huellas de las ruedas del aparato de cuando la limpié la semana pasada.

Empujo el aspirador hacia el rincón donde estaba antes la jaula de *Hendrix*. Oigo un ruido extraño en el motor. Lo apago y me agacho para ver qué es y encuentro una horquilla, como las que utiliza la señora Driggs para sujetarse el moño. De modo que es su presencia la que siento en esta habitación vacía, en esta casa vacía. Debería adoptar a una mascota, quizás a unos gatos. Mucho mejor que una serpiente, aunque los gatos también persiguen a los ratones. En cualquier caso, no sería algo amañado como cuando Jeremy daba de comer a *Hendrix*, cuando la víctima y el vencedor estaban predestinados. Pobre ratón.

De repente, mientras estoy sentada con la horquilla en la mano, se me ocurre la forma de atrapar a All_BS. Él es la serpiente. Para cazarlo, yo tengo que ser el ratón.

22

¿Qué hace que alguien resulte apetecible a una persona como All_BS? ¿Por qué decidió ayudar a Meg y no a Sassafrants, por ejemplo, o al tipo que no deja de preguntar sobre matarratas? ¿Y cómo puedo lograr que crea que soy una de esas personas?

Releo sus correos en busca de algo que me ayude. Responde más a las chicas que a los chicos, en particular a las chicas inteligentes. Nunca responde a los ignorantes o a los que despotrican contra todo. Asimismo, parece sentirse interesado por las personas que están al comienzo de su viaje, las que empiezan a pensar en «coger el autobús». Le gusta la filosofía —sus correos están repletos de citas— y parece sentirse atraído por las personas cuyos correos son también filosóficos. No es de extrañar que Meg le cayera bien.

El primer paso es obvio. Tengo que colgar un mensaje en el foro. Un primer comentario, como Meg. Algo que me presente al grupo, que anuncie mis intenciones de suicidarme, enmascarando esas intenciones en una pregunta. Si me muestro demasiado segura, si ya he decidido comprar el matarratas, no pareceré un ratón.

No se me ocurre nada hasta al cabo de varios días, pero no sé qué nombre de usuario utilizar. Todos los que se me ocurren están relacionados con Meg, y no sé cuántas cosas le explicó a All_BS sobre ella misma, de modo que no quiero descubrir mi identidad.

Miro la pila de libros que me he llevado de la biblioteca y aún no he devuelto para inspirarme.

Kafkiano
Primera cuestión

Hace tiempo que pienso en coger el autobús. Creo que estoy preparada para comprar el billete. Sólo necesito que me animen. Me preocupa mi familia y no alcanzar mi objetivo, y, para ser sincera, también me preocupa alcanzarlo. Agradecería que me ofrecierais unos pensamientos inteligentes.

En cuanto lo envié, me arrepentí de haberlo hecho. Suena falso, no tiene nada que ver conmigo, ni con una persona con tendencias suicidas. Imagino que todos los usuarios del foro me acusarán de farsante. Pero al día siguiente compruebo que tengo varias respuestas. Como en el caso de Meg, la mayoría son muy amables y alentadoras —*¡Bienvenida! ¡Enhorabuena!*—, lo cual, curiosamente, me resulta gratificante. Pero All_BS no está entre los que responden. Puede que yo haya engañado a algunas de esas personas. Pero no a la que busco.

Cambio de nombre de usuario, pienso en el correo de Meg sobre Scottie y lo intento de nuevo.

CR0308
Superviviente

Desde hace varios meses, pienso seriamente en suicidarme, pero me frena mi madre. Estamos solas ella y yo, y me preocupa lo que será de ella cuando yo desaparezca. ¿Puedo vivir conmigo misma? ¿Tendré que hacerlo?

Este mensaje también huele a falso. No es exactamente cierto decir que Tricia no me *quisiera*, porque me *tuvo*. Lo que creo es que no quería tener hijos. ¿Qué madre hace que su hija de dos años la llame por su nombre de pila porque dice que es demasiado joven para que le llame mamá? Me consta que Tricia se llevaría un disgusto si yo me quitara la vida, pero también sé que tiene ganas de librarse de mí. Me lo dice continuamente.

Recibo un montón de respuestas, algunas diciéndome que, sí, que es muy jodido ser madre soltera. Que quizá debería esperar a que mi madre volviera a casarse. Eso me hace reír. Tricia no puede *volver* a casarse hasta que se case, y dado que sus relaciones sentimentales tienen una caducidad de tres meses, no creo que eso ocurra nunca.

No hay nada de All_BS. Tengo la curiosa sensación de que mientras yo siga mintiendo, no obtendré ninguna respuesta de esa persona. Lo cual es un callejón sin salida, ¿porque cómo puedo hacer esto sin mentir?

Elijo otro nombre de usuario, algo vagamente relacionado con Meg —*Pete* y *Repeat*—, pero lo bastante ambiguo como para que nadie lo relacione con ella. En lugar de tratar de canalizar a Meg, trato de canalizarme a mí.

Repeat
La Verdad

Hace poco perdí a alguien. Alguien tan importante para mí que es como si una parte de mí misma hubiera desaparecido. Y ahora no sé cómo seguir adelante. Ni siquiera sé si existo sin ella. Es como si ella fuera mi sol, y mi sol se hubiera apagado. Imaginaos que el sol auténtico se apagara. Quizá seguiría existiendo vida en la Tierra, pero ¿querríais seguir viviendo aquí? ¿Quiero yo seguir viviendo aquí?

Al día siguiente compruebo que tengo numerosas de respuestas, pero ninguna de All_BS. Algunas son enrevesadas explicaciones científicas sobre lo poco probable que es que el sol se apague. Otras se muestran más comprensivas con mi pérdida. Otras sugieren que si me muero me reuniré con la persona que he perdido. Muestran una convicción apabullante, como si las personas de La Solución Final ya hubieran visitado la muerte, hubieran tomado notas y hubieran regresado para informarnos sobre el más allá. Recuerdo que para muchas de estas personas esto constituye una especie de diversión.

Pero empiezo a comprender la atracción que ejerce este foro. Ayer, cuando envié el correo, sentí una inmensa sensación de alivio. Quizá todo esto sea una farsa, pero por primera vez en mucho tiempo estoy diciendo la verdad.

Al cabo de unos días estoy trabajando en casa de los Thomas al tiempo en que no dejo de buscar la forma de poner a All_BS al descubierto. Estoy tan absorta en mis pensamientos que no oigo a Mindy Thomas entrar en su dormitorio mientras lo estoy limpiando. De haberme dado cuenta, me habría marchado y fingido que limpiaba el garaje u otra zona de la casa.

—Hola, Cody —dice Mindy con voz cantarina—. ¿Cómo te va?

—¡Genial! —respondo con tanto entusiasmo como puedo mientras sostengo un plumero en la mano.

Mindy está acompañada por su grupo de amigas, unas chicas un año más jóvenes que yo a las que apenas he visto desde que me gradué. Sharon Devonne me saluda con la mano. Sharon era una de las admiradoras de Meg. La adoraba y la seguía a todas partes como si fuera una estrella de cine. Ella fingía que eso la cabreaba, pero yo sabía que consideraba a Sharon un encanto, sobre todo porque era muy amable con Scottie. Era su orientadora en el campamento de verano, y el niño estaba enamorado de ella.

—Hola, Cody —me saluda la chica secamente.

—Hola, Sharon. ¿Qué tal te va en el último año de instituto?

—Casi ha terminado.

—¿Tienes planes para después de la graduación?

—Dormir.

—Ya, he oído decir que…

—Se me acaba de ocurrir una cosa —me interrumpe Mindy, dando una palmada—. Una idea genial. Cody debería venir a la fiesta. Es el próximo fin de semana. Mis padres estarán fuera, y será espectacular.

Antes de que yo pueda alegar un pretexto, Mindy continúa:

—Será perfecto. Puedes venir a la fiesta y luego limpiar la casa.

Sus carcajadas la siguen cuando sale de la habitación.

Yo me quedo pasmada, sin saber qué decir. ¿Mindy Thomas? Asistíamos a clase de baile juntas. Ella siempre lucía unos atuendos perfectos: leotardos, calentadores y zapatillas de ballet del mismo color. Tricia no podía siquiera pagar mis clases —la profesora, que era amiga suya, dejaba que yo asistiera gratis—, de modo que me ponía lo que pillaba: unas mallas rotas, una camiseta y unos calentadores de distinto color que compraba en una tienda de artículos de saldo. Pero un día Mindy se presentó con el mismo atuendo que yo. Supuse que se burlaba de mí, pero cuando se lo conté a Tricia, se rió. «Esa mocosa quiere imitarte.» Yo tenía mis dudas. Lo único que sabía con certeza era que hace un año Mindy Thomas jamás me habría hablado en el tono con que acababa de hacerlo.

Sharon se queda después de que las otras chicas se han marchado.

—No hagas caso, lo ha dicho para molestarte —murmura—. Ven a la fiesta.

—Gracias, Sharon —respondo. Agito el plumero para indicar que tengo que seguir trabajando. Ella vacila unos instantes, como si quiera añadir algo más, pero Mindy la llama y sale de la habitación.

Más tarde, en la biblioteca, no dejo de pensar en Sharon, en la forma en que idolatraba a Meg. Puede que Meg fuera considerada rara en la ciudad, pero no dejaba de tener sus admiradores. Tenía carisma.

Las personas, en todo caso las personas inteligentes, se sentían atraídas por ella: compañeros del instituto, músicos a los que conocía *online*, All_BS... Todos se sentían atraídos por ella.

¿Qué puedo hacer para atraer a All_BS? No tengo lo que tenía Meg. Aunque la gente nos llamaba la Vaina, no era una descripción correcta. Estaba Meg. Y luego yo, que me enganchaba a ella.

Ya no puedo hacer eso. Para dar con All_BS, tengo que ser yo misma. Respiro hondo. Y empiezo a teclear.

Repeat
Repeat

No soy de esas personas que dedican mucho tiempo a pensar en la muerte, o a imaginar su propia muerte, o a soñar con ella, o a desearla. Al menos, no creo que lo fuera. Pero han ocurrido tantas cosas en el último año de mi vida que me pregunto si tengo una vida, o si lo que yo creía que era mi vida es en realidad una ilusión, o quizás un delirio. Porque no tengo la sensación de vivir. Tengo la sensación de perseverar, como si fuera lo máximo a lo que pudiera aspirar. No soy tan mayor, pero estoy muy cansada. Hasta el hecho de levantarme de la cama por las mañanas me exige un esfuerzo tremendo. Pienso que la vida consiste en resistir, no en disfrutar, no en la satisfacción de sentirte realizada. No le encuentro ningún sentido. Si alguien me dijera que podía retroceder en el tiempo y no nacer, lo haría. Estoy convencida de ello.

¿Eso es lo mismo que desear morir? En tal caso, ¿qué significa?

23

Una noche me siento ante mi ordenador, contemplando todos los mensajes que he enviado al foro de La Solución Final y todas las respuestas que he recibido. Hay demasiadas páginas que imprimir sin despertar las sospechas de la señora Banks, de modo que he empezado a almacenarlo todo en un archivo en el disco duro.

La puerta se abre y me apresuro a cerrar el ordenador.

—¿No te han dicho nunca que hay que llamar antes de entrar? —pregunto a Tricia.

—Cuando *yo* viva en *tu* casa, llamaré —responde.

Se me ocurre decirle que pago una parte del alquiler y por tanto también es mi casa, pero entonces pienso en el dinero que tengo oculto en una caja debajo de mi cama y decido que es más prudente no sacar a relucir el tema monetario.

Tricia da un golpecito sobre mi ordenador, que está caliente.

—He leído que el aumento en la incidencia del cáncer tiene que ver con la cantidad de horas que la gente pasa sentada delante del ordenador cada día —dice.

—Todo produce cáncer —contesto—. El sol produce cáncer.

—He leído que los ordenadores son muy perjudiciales. Debido a la radiación. No es saludable.

—¿Dónde lo has leído? ¿En una de las numerosas revistas científicas a las que estás suscrita?

Tricia ignora la pulla y se sienta en el borde de mi cama.

—¿Qué estás leyendo?

—¿Yo?

—Sí, tú. Antes tenías siempre la nariz metida en un libro, y ahora sólo te veo sentada delante del ordenador.

Cuando devolví los últimos libros que la señora Banks había pedido prestados para mí, fingí que los había leído todos, cuando en realidad no había terminado ninguno. Yo solía leer en casa por las noches, pero ahora no puedo dejar de mirar mi abultado archivo sobre Meg, que he ocultado en una carpeta falsa titulada «Universidad». Aún no he recibido respuesta de All_BS, y sigo releyendo todos los mensajes, tratando de averiguar qué debo hacer.

Tricia señala el ordenador.

—¿Qué hay ahí dentro que resulta tan interesante? ¿Otro mundo, quizá?

—No es otro mundo. Sólo hay unos y ceros, el lenguaje de programación. —Pero no es cierto. All_BS está ahí. Meg también.

Tricia no dice nada. Mira mi habitación, mis paredes, las fotografías que he pegado con cinta adhesiva de Meg y yo actuando en funciones teatrales, de los García y yo cuando fuimos de acampada a Mount Saint Helens, de Meg y yo el día de la graduación el año pasado, ella sonriendo de oreja a oreja, yo sonriendo de satisfacción. También hay fotos de Tricia y yo, pero muchas menos que de los García.

—Meg y tú erais el día y la noche —observa mientras mira la foto de la graduación.

—No tenemos un aspecto *tan* distinto. Es decir, no lo teníamos.

Meg tenía los ojos castaño oscuro y los míos son de color avellana grisáceo, y aunque ella tenía la piel de color café como Joe, en verano mi tez aceitunada se oscurece tanto que decíamos que yo podía pasar por hija de Joe. Pero no era hija de Joe, y ahora esta insistencia en nuestro parecido me avergüenza. ¿Era otra forma de tratar de engancharme a mi amiga?

—No me refiero al aspecto físico, sino a la personalidad —responde Tricia—. No te pareces a ella en nada.

Yo callo.

—A Dios gracias —añade.

—Ese comentario sobra.

Sigue mirando la foto de la graduación.

—Ella lo tenía todo. Un cerebro superior a la media. Una magnífica beca universitaria. Incluso este costoso ordenador del que no te separas un momento. —Tricia se vuelve para mirarme—. Tú sólo me tenías a mí. Eres inteligente, desde luego, pero no poseías la inteligencia de Meg. Sólo podías optar a esa mierda de centro universitario, y ahora al parecer ni siquiera tienes eso.

Enrosco un hilo suelto de mi edredón alrededor del dedo hasta que me duele. Gracias, Tricia, por este detallado comentario sobre mi inferioridad.

—Pero incluso teniéndolo todo en tu contra, no te dabas por vencida —prosigue—. No abandonaste esas puñeteras clases de baile a las que Tawny Phillips permitía que asistieras gratis, ni siquiera cuando te torciste el tobillo.

—No podía dejarlas. Tenía un importante solo de baile en *All That Jazz* —le recuerdo. Lo había olvidado. Mindy Thomas había pillado un cabreo monumental cuando me habían dado a mí el papel que ella codiciaba. No estoy segura de que Tricia lo recuerde tampoco. No pudo asistir a la función. Tenía que trabajar. Los García sí asistieron.

—De acuerdo —continúa—. Y en el colegio odiabas las matemáticas, pero conseguiste aprobar incluso trignástica.

—Trigonometría —le corrijo.

Tricia hace un ademán restando importancia al matiz.

—Conseguiste aprobar matemáticas porque querías ir a la universidad. Lo que quiero decir es que nunca te diste por vencida ni en el baile, ni en las matemáticas ni en nada, y quizá tenías más motivos para hacerlo. Tenías un montón de pedruscos, que limpiaste y te hiciste un bonito collar con ellos. Meg tenía joyas, y se ahorcó con ellas.

Sé que debería defender a Meg. Es mi mejor amiga. Y Tricia se equivoca. No conoce toda la historia. Y probablemente siente envidia de los García por ser la familia que ella nunca logró ser.

Pero no defiendo a Meg. Puede que no sea hija de Joe. Pero en este momento me siento hija de Tricia.

24

Al día siguiente encuentro un mensaje de All_BS. Dice simplemente: «¿A quién has perdido tú?»

Tardo un minuto en comprender que él —estoy convencida de que es un hombre— se refiere a uno de mis mensajes más antiguos. Lo cual significa que me ha estado observando. Paso una hora pensando en lo que debo escribir, qué historia resultará más eficaz, y regreso al punto de partida. La más eficaz es la verdadera.

Repeat: Mi media naranja.

Al cabo de veinte minutos, recibo otra respuesta de él.

All_BS: «Nada es más deseable que librarse de un sufrimiento, pero nada es más terrorífico que perder una muleta», James Baldwin.

Repeat: ¿A qué te refieres con eso?

La biblioteca cierra antes de que All_BS tenga tiempo de responder, y me paso toda la noche pensando en esa cita. A la mañana siguiente, cuando voy a trabajar, me llevo el ordenador a casa de los

Chandler, y descubro que no dejan desconectado su WiFi. Entro en el dormitorio para ver si he recibido respuesta de All_BS. Sí, me ha contestado.

All_BS: Quizá tu alma gemela, como la describes, no era sino una muleta. Puede ser aterrador quedarte sin ella, después de haberla utilizado durante tanto tiempo. Quizá lo que te ocurre es que no consigues adaptarte a esto.

Eso es todo. No dice nada sobre quitarme de en medio, o que la vida es sufrimiento. Sólo insinúa que Meg era mi muleta.

Lo malo es que tiene razón. Ella era mi sostén. Sin ella, siento que me estoy desmoronando.

Repeat: ¿Sugieres que esto es temporal, que no debo pensar en coger el autobús porque mi dolor se debe simplemente a la pérdida que he sufrido?

Oigo a la señora Chandler en la habitación contigua. Cierro el programa y oculto mi ordenador en un rincón. El resto de la mañana pienso preocupada si he dicho algo que haya podido disgustar a All_BS. Por la tarde, corro a la biblioteca, y siento un gran alivio al comprobar que he recibido respuesta de él.

All_BS: Yo no digo eso.

Repeat: Entonces, ¿qué es lo que dices?

All_BS debe de estar conectado en estos momentos, porque su respuesta no se hace esperar.

All_BS: ¿Qué es lo que dices TÚ?

Reflexiono antes de responder.

Repeat: No sé lo que digo. No sé lo que hago. Por eso te pido tu opinión.

All_BS: Ya. Por eso me pides mi opinión.

25

A mediados de junio recibo una llamada de Alice. No he hablado con ella desde la última vez que me alojé en su casa, pero cuando contesto, me pongo a parlotear como si charláramos todos los días por teléfono.

—He consultado el mapa, y vives en el este del estado de Washington, ¿verdad? —me pregunta después de haberme puesto al día en unos temas que no me interesan—. ¿Entre Spokane y Yakima?

Spokane y Yakima están separados por centenares de kilómetros. Me encanta que la gente piense que están separados por un paso elevado. Pero me abstengo de corregirla.

—Más o menos.

—¡Genial! Estoy trabajando como orientadora en Mountain Bound. Está en las afueras de Missoula, y estoy segura de que la I-90 pasa por donde tú estás.

—No está lejos de aquí.

—¡Perfecto! Hay unas siete horas de Eugene a Spokane, o donde vives tú. Es un viaje de un día en coche. Puedo regresar a Missoula al día siguiente.

Tardo un segundo en comprender a qué se refiere.

—¿Quieres quedarte en mi casa?

—Si no te importa —responde ella.

Casi nunca tenemos invitados. Incluso Meg sólo durmió aquí

un puñado de veces. Empiezo a pensar en cómo decirle a Tricia que Alice se alojará aquí. Dónde instalarla. Todo indica que Tricia y Raymond siguen juntos, a juzgar por las noches que ella no duerme en casa. Quizás esa noche se quede en casa de Raymond, pero si se lo pido, puedo estar segura de que no lo hará.

—¿Cuándo piensas venir?

—Pasado mañana. Dame tus señas.

No tengo elección. Por la noche informo a Tricia, como de pasada, de que una persona que conozco pasará una noche en casa.

—¿Tu novio? —me pregunta con tono acusador.

—No existe ningún novio —replico. Entonces pienso en Ben y me enfado conmigo misma por pensar en él y luego justifico haber pensado en él porque fue el motivo del interrogatorio al que me sometió Tricia la última vez que surgió el tema.

—Entonces, ¿con quién hablas por el ordenador?

—Con nadie. No puedo hacerlo porque no tenemos acceso a Internet.

—¡Ya! Pero quieres que lo instalemos. Y ahora te has sonrojado. Tú me ocultas algo.

Esta vez Tricia tiene razón. Pero no con respecto a un novio. Hace poco All_BS y yo trasladamos nuestra conversación desde el foro a un *software* de comunicación anónimo, y ahora «hablamos» con frecuencia. Sin embargo, nuestras conversaciones están limitadas por el horario de apertura de la biblioteca, lo cual es frustrante.

No se refieren al suicidio, al menos no específicamente, lo cual no es menos frustrante. Hablamos de cosas en general, y a veces olvido con quién estoy charlando. La semana pasada, mencioné que me había resfriado y él me envió la receta de un té a base de jengibre y zumo de manzana. Dado que funcionó, le comenté en broma que no dejaba de ser irónico que él me hubiera curado el resfriado. «Es agradable saber que alguien se interesa por mí», escribí. Cuando él me preguntó a qué me refería con eso, empecé a teclear un mensaje sobre Tricia, hasta que me di cuenta de lo que hacía y lo borré.

Comprendí que tenía que andarme con cuidado y que no debía responder a sus mensajes de forma espontánea si no quería estropearlo todo. De modo que ahora, cuando estoy en la biblioteca, traslado sus mensajes a mi archivo de Meg, y cuando estoy en casa escribo mis respuestas y las envío cuando vuelvo a conectarme a Internet. Es un sistema frustrante y tedioso, pero la demora me obliga a ser cauta.

—La persona que va a quedarse a dormir aquí es Alice —informo a Tricia—. La conocí en Tacoma. Necesita un lugar donde pasar la noche de camino a Montana. —Es verdad, o una verdad a medias. Una de las cosas que he aprendido de mi correspondencia con All_BS es que si te pegas a la verdad resulta mucho más fácil mentir.

—¿No ha oído hablar tu amiga de los moteles? —pregunta.

—Yo dormiré en el sofá, y ella puede dormir en mi habitación.

Tricia suspira.

—No. Tú puedes dormir en mi cama. Yo me quedaré en casa de Raymond.

Asiento, como si jamás se me hubiera ocurrido esa idea.

Al día siguiente, a las seis en punto de la tarde, llega Alice, haciendo sonar el claxon mientras circula por la calle como si fuera el jefe del desfile del Cuatro de Julio. Algunos vecinos salen para ver a qué obedece el alboroto, y ella los saluda con la mano, sonriendo.

—De modo que aquí es donde vives —observa.

Yo asiento con la cabeza.

—No es como imaginaba. Es muy... pequeña. —Se detiene—. No me refiero a tu casa. Tu casa está muy bien. Me refiero a la ciudad.

Mi casa es una celda de ladrillo de ceniza con dos diminutos dormitorios. Yo me conformaría con que fuera «pequeña».

Alice me mira turbada.

—No quería decir eso. Es que eres tan lista que supuse que habías crecido en otro lugar.

—No. Soy de aquí.

Entramos en casa. Conduzco a Alice a mi habitación. He cambiado las sábanas de la cama. Se tumba en ella y mira los pósteres de la banda y las fotos de Meg y yo que están pegados en la pared.

—De modo que Meg creció también aquí.

Asiento de nuevo.

—¿Desde cuándo os conocíais?

—Desde hace mucho tiempo.

Hay una foto de las dos en un rodeo, creo que de cuando íbamos a último de primaria. La fase de los dientes salientes.

—¿Esa eres tú? —pregunta Alice, acercándose para ver mejor.

Debería quitar todas esas fotos.

—Sí.

—Debes de tener aquí gran parte de tu historia.

Pienso en el Dairy Queen. En el cohete espacial. En la casa de los García.

—No creas —respondo.

Ambas guardamos silencio un rato. Luego Alice anuncia que quiere invitarme a cenar.

—¡No admito que me digas que no!

—De acuerdo. ¿Adónde quieres ir?

—¿Qué opciones tenemos?

—El típico restaurante de comida rápida. El bar restaurante donde trabaja mi madre, aunque es mejor que no vayamos allí. Un par de locales mexicanos.

—¿Se come bien en los mexicanos?

Joe siempre decía que la comida que preparaba Sue era mejor que la de su madre, y que en su casa se comía mucho mejor que en cualquier restaurante de la ciudad. Casi nunca comíamos fuera.

—No demasiado.

—De camino aquí pasé frente a un Dairy Queen. Podríamos ir allí.

Me imagino el personal que habrá en el Dairy Queen, Tammy Henthoff y los sospechosos habituales.

—Vamos a un mexicano —propongo.

Nos dirigimos a Casa Mexicana, lleno de reservados de terciopelo rojo y pinturas de toreros. Nuestro camarero es un tipo llamado Bill con el que Tricia había salido, como sucede siempre en Shitburg. Pedimos la comida, y luego Alice pide un margarita de frambuesa con un chupito de tequila. Bill le dice que le enseñe un documento de identidad para verificar que es mayor de edad, y ella le muestra el carné de conducir.

—¿Para ti una bebida sin alcohol, Cody? —pregunta Bill con una sonrisita irónica.

Odio esta ciudad. Ni siquiera puedo pedir algo en un restaurante sin que el camarero me vacile.

—Un Dr. Pepper.

—¿Tienes veintiún años? —pregunto a Alice cuando Bill se aleja.

—No, pero Priscilla Watkins sí —responde, mostrándome el carné de conducir falso.

Me impresiona. No creía que esta chica fuera tan audaz.

Mientras esperamos que nos sirvan las bebidas que hemos pedido, aparece la familia Thomas. La señora Thomas me saluda con la mano; Mindy, que parece estar discutiendo con su hermana sobre una plancha para alisar el pelo, me ignora. Yo meneo la cabeza.

—¿Qué pasa? —pregunta Alice.

¿Cómo explicar Shitburg a alguien que describe su ciudad natal como el Edén?

Bill regresa con las bebidas. En cuanto se marcha, tomo el chupito de Alice y me lo bebo de un trago.

—Pide otro.

Nos tomamos varias copas. Alice se pone tristona. Empieza a hablar de Meg. En voz alta. Dice que lamenta no haberla conocido mejor. Que se alegra mucho de haberme conocido a mí. Entiendo que dice cosas agradables, pero Mindy Thomas está sentada dos reservados más allá y preferiría que se callara.

Cuando nos traen la comida, Alice se pone a comer a dos carrillos.

—Hmm, esto está de rechupete. En Eugene no tenemos restaurantes mexicanos.

—Ya —digo, apartando con el tenedor la capa de queso que cubre la enchilada como un trozo de piel que se ha quemado con el sol. La dejo a un lado y pruebo el arroz.

—¿Has hablado con Ben McCallister? —me pregunta Alice de sopetón.

La iluminación del restaurante es escasa, por lo que no ve que me he ruborizado.

—No.

—¿No?

—¿Por qué iba a hablar con él?

—No sé. Daba la impresión de que se había producido una chispa entre los dos.

Una poderosa llama, seguida por una diminuta chispa. Cuando empezamos a hablar, All_BS me citó a Dante. Creo que trataba de explicar que las cosas simples pueden propiciar ideas que transforman la vida. Era su forma de animarme, pero recordé que no debía bajar la guardia, porque la idea transformadora que pretendía venderme era la de poner fin a mi vida.

—No se produjo ninguna chispa —respondo, apartando el plato.

—Mejor.

—¿Por qué? —pregunto con tono desafiante.

—Para empezar, Meg estaba loca por él.

—¿No dijiste que no la conocías bien?

—Y es verdad. Pero no dejaba de hablar sobre Ben. Y nos invitó a asistir a un concierto de la banda. De modo que deduzco que estaba loca por él.

—El hecho de que os invitara a un concierto de la banda no significa que Meg estuviera enamorada de Ben. Ella era así.

Alice guarda silencio unos momentos mientras apura su copa.

—Por cierto, ¿encontraste a la persona con la que habló Meg sobre tomar antidepresivos?

—No.

—Es posible que yo sepa quién es.

—¿De veras?

Ya no me importa, porque el propósito de encontrar a esa persona era encontrar a All_BS, y ya he dado con él.

—No estoy segura, pero creo que es Tree.

—¿Tree? ¡Qué ocurrencia!

—Creo que era ella —insiste con tono dolido.

—Está claro que no sabes una mierda sobre Meg.

—Eso ya lo sé —contesta Alice a la defensiva—. Pero sigo pensando que era ella.

No. Meg habría sentido desprecio por Tree, y Tree no parecía sentirse seducida por Meg.

—No es ella —murmuro. De golpe me siento cansada y tengo la sensación de que no puedo controlar mis extremidades. Entonces recuerdo, aunque demasiado tarde, por qué no me gusta emborracharme.

—Vale, vale, vale —dice Alice, agitando las manos—. Pero Tree dijo algo que me hizo pensar que era ella. No recuerdo lo que fue. Pero deberías llamarla.

A la mañana siguiente Alice se dispone a vivir su maravilloso verano de aventura, y yo me dispongo a limpiar retretes. Tengo una resaca que tiene menos que ver con el tequila que bebí anoche que con lo que este hizo que aflorara en mí. ¿Por qué estuve tan arisca con Alice, cuando ella siempre ha sido tan amable conmigo, cuando la verdad es que me cae bien? Sé que debería decirle algo, pero antes de que se me ocurran las palabras adecuadas, ella se despide haciendo sonar el claxon y desaparece calle abajo.

Yo me despido de ella agitando la mano hasta que dobla la esquina. Y mientras observo a una persona más marcharse de aquí para dirigirse a un lugar más grato, comprendo por qué no estuve más amable.

Los Purdue se han ido de vacaciones, de modo que al día siguiente de marcharse Alice, me tomo el día libre. Me dirijo a la biblioteca, más temprano que de costumbre. El reconfortante silencio del lugar ha sido sustituido por risas y chillidos de unos niños de corta edad. Es la hora de los cuentos infantiles.

Cuando me encamino hacia las mesas situadas al fondo, veo a Alexis Bray en el círculo de las mamás y los niños que asisten al relato de cuentos infantiles, sosteniendo las manitas de su hijita. No recuerdo el nombre de la niña, aunque vino con Alexis prácticamente a todos los oficios celebrados en memoria de Meg y estuvo sentada muy calladita en el regazo de su madre. En una de las recepciones, Alexis me propuso que fuéramos un día a tomar café. Yo le dije que la llamaría, pero no lo hice. No estaba segura de por qué quería que saliéramos un día a tomar café. Iba a un curso cuatro años más avanzado que Meg y yo, y no sabía gran cosa sobre ella, salvo que había salido con Jeremy Driggs, aunque él no era el padre de su hijita. Por lo visto, el padre es un tipo que servía en el ejército.

Alexis me saluda ahora con la mano. Al igual que la señora Banks, que me indica que ocupe una de las mesas situadas a un lado, que es una zona más tranquila. Pero no mucho. Durante la hora de los cuentos infantiles se organiza bastante bullicio. La bibliotecaria adjunta está leyendo un cuento sobre un conejito que no deja de decir a su madre que va a escaparse, aunque está claro que, si pensaba hacerlo en serio, no se lo diría a su madre. Cuando uno se propone hacer algo en serio, no lo divulga.

Uno de los niños se aleja del círculo y se acerca a donde estoy sentada. El pañal le cuelga casi hasta las rodillas y en la parte delantera de su camiseta *Cars* hay una enorme mancha que parece de guisantes, pero que podría ser algo peor. Qué asco. Los niños son como parásitos. Sospecho que Tricia pensaba lo mismo de mí. Me pregunto si Meg también opinaba lo mismo.

La bibliotecaria pasa a otro libro sobre unos globos que desaparecen que suena incluso más estúpido que el anterior. Lo cual quizá sea el motivo de que mi amiguito del pañal sucio no muestre ningún interés en regresar al círculo de los cuentos infantiles, sino que me mira con sus ojos legañosos.

Trato de desviar la mirada, pero no es fácil cuando alguien te observa fijamente. El esfuerzo por no mirarlo me produce espasmos en la boca del estómago. *Espasmo. Espasmo. Espasmo.* Veo a Alice en las montañas de Montana, rodeada por un grupo de personas tan joviales como ella. *Espasmo. Espasmo. Espasmo.* Veo a Meg sentada delante de su ordenador, tecleando su nota de suicidio que programó para enviarla después de morir. *Espasmo. Espasmo. Espasmo.* Me veo a mí misma, en esta biblioteca, abriendo su nota de suicidio en el ordenador: *Lamento comunicarte...*

El niño sigue junto a mí, sus manitas sucias y pegajosas a pocos centímetros del teclado de mi ordenador.

—No se te ocurra acercarte más —digo, mirándolo con gesto amenazador, por si el tono de mi voz no es lo suficientemente expresivo.

El niño hace un mohín antes de romper a llorar. Su madre se acerca apresuradamente, disculpándose conmigo, lo que significa que probablemente no ha oído lo que le he dicho a su hijo, pero Alexis me dirige una mirada extraña, lo que significa que ella probablemente sí lo ha oído.

De modo que esta es la persona en la que me he convertido, alguien que se mete con niños pequeños.

Me centro de nuevo en el ordenador, repasando todas las palabras de All_BS: «la diminuta chispa», «la poderosa llama», «fuerza tu valor hasta el límite». El niño llora desconsolado en el regazo seguro de su madre. Me siento avergonzada, pero la vergüenza me aporta cierta claridad: puedo seguir metiéndome con niños pequeños, o afrontar el gran reto.

Ha llegado el momento de hacer acopio de todo mi valor. O morir en el intento.

Envío dos mensajes, uno tras otro. El primero es a Harry Kang, preguntándole qué tipo de información necesito para rastrear a alguien, porque el hecho de haberme convertido en colega de All_BS no me sirve de nada a menos que logre averiguar su identidad.

El segundo a All_BS:

Estoy preparada. Quiero dar el siguiente paso. ¿Me ayudarás?

En cuanto envío el segundo mensaje, mi ira, mi angustia y mi autocompasión desaparecen, dejando sólo una sensación de calma y determinación. Me pregunto si eso fue lo que sintió Meg.

El niño ha dejado de llorar y me mira resentido con su carita manchada de lágrimas. Yo lo miro y sonrío.

26

All_BS no tarda en responder a mi mensaje, aunque su respuesta no es la que yo esperaba: no me envía los mismos archivos que creo que envió a Meg. En lugar de ello, recibo un mensaje suyo citando a Martin Luther King Jr.: «La fe consiste en dar el primer paso, aunque no veas toda la escalera». A esto añade: «Tú ya has dado el primer paso al tomar una decisión». A continuación me envía un *link* remitiéndome a una especie de directorio con las siguientes opciones: pastillas, veneno, un tiro, asfixia, estrangulación, ahogamiento, monóxido de carbono, saltar de un lugar elevado, ahorcarse. Cuando haces clic sobre cada una de ellas, aparece una detallada —exhaustiva— lista de ventajas e inconvenientes, así como una estadística sobre el índice de éxito de cada método. Es similar al documento encriptado que encontré en la papelera de Meg, pero no es igual.

A lo largo de la semana, recibo más mensajes:

«Si comprendes que todas las cosas cambian, no tratarás de aferrarte a nada. Si no temes morir, no hay nada que no puedas conseguir», Lao Tsé.

¿Sabes lo que eso significa? ¿Desprenderte del temor? Morir no significa poner fin a algo, sino iniciar algo. Pienso en el alias que utilizas: Repeat. Deduzco que no es una casualidad. Pero ten en cuenta que lo que haces justamente es repetir. La misma cosa. Sólo cuando estés dispuesta a hacer algo audaz, distinto, tu vida cambiará realmente.

Se siente orgulloso de mí. Lo intuyo. Lo cual hace que me sienta orgullosa de mí misma. Sé que no debería sentirme así, pero no puedo evitarlo.

Sigo esperando que All_BS me pida detalles. He pasado horas examinando la lista de la compra de métodos de suicidio, de modo que, sin pretenderlo, he planeado cómo hacerlo, o mejor dicho, he planeado hacer lo que hizo Meg. Obtener la falsa licencia comercial. Encargar el veneno. Hacer que me lo envíen a un apartado de correos. Redactar un testamento. Recoger mi habitación. Ir al banco para obtener un billete de cincuenta dólares para dárselo de propina a la camarera. Escribir un correo electrónico. Programarlo para enviarlo en una determinada fecha y hora. Alquilar una habitación en un motel.

La información sobre las páginas web que me ha dado All_BS es tan detallada que sé lo que sentiría al ingerir un veneno. La sensación de que me abrasa la garganta, luego el estómago; el hormigueo en los pies que indicaría que empieza a surtir efecto; luego los retortijones, seguidos de una sensación de frío al producirse la cianosis.

Lo he imaginado tantas veces, primero lo que sintió Meg, luego lo que sentiría yo, y es como era siempre, cuando no distinguía entre ella y yo, cuando no quería hacerlo.

Quiero que All_BS me pregunte si me he decidido por un método, porque si lo hace podré decírselo, y creo que él se sentirá satisfecho.

Pero no me lo pregunta.

De modo que sigo planeándolo.

Una tarde me dispongo a darme una ducha después de trabajar. Cuando miro en el botiquín en busca de una hoja de afeitar nueva, veo uno de esos enormes botes de Tylenol que Tricia adquiere en el hipermercado. Sé por mis trabajos de documentación que el Tylenol es un método terriblemente doloroso pero económico de quitarte de en medio. Cierro el grifo de la ducha. Entro en mi habitación. Vierto las pastillas blancas sobre mi edredón. ¿Cuántas tendría que tomarme? ¿Cuántas podría ingerir de una vez? ¿Cómo evitaría vomitarlas?

Al contemplar las pastillas, parece muy fácil. Algo que podría hacer sin mayores problemas. Ahora mismo. Ingerir unas pastillas. Saltar de un paso elevado. Utilizar la pistola cargada de alguien. *No deseas morir*, me recuerdo. *Pero si lo desearas*, responde una vocecilla, *imagina lo sencillo que sería…*

Suena el timbre de la puerta, sobresaltándome, y al instante me sonrojo de vergüenza. Me apresuro a meter de nuevo las pastillas en el bote y lo guardo en el botiquín. El timbre suena de nuevo.

Es Scottie, que lleva a *Samson* de la correa y aparta con el pie unas hojas que se han introducido debajo del felpudo. Me mira y luego se fija en mi camiseta arrugada y apestosa.

—¿Estabas durmiendo? —pregunta.

—No.

Últimamente duermo poco, de ahí que siempre tenga aspecto de acabar de levantarme. Estoy aún un poco nerviosa por lo del Tylenol, y cuando Scottie me pregunta si me apetece dar un paseo con él y con *Samson*, salgo por la puerta disparada.

Echamos a andar a la tenue luz del atardecer. Me siento más animada, y me pongo a hablar de cosas intrascendentes como si fuera una máquina parlante. Le pregunto a Scottie cómo le va en el colegio, y me recuerda que son las vacaciones de verano. Le pregunto qué hará este verano, y me recuerda que se irá de campamento. Yo debería saberlo porque es lo que hace todos los veranos, al igual que Meg cuando era más pequeña. Yo rogaba a Tricia que me enviara también, pero ella decía que se negaba a gastar un céntimo enviándome de campamento cuando estaba libre durante el día, de modo que me pasaba el verano contando las horas hasta que regresaban los García.

Scottie sigue andando y yo sigo haciéndole preguntas estúpidas, y cuando estas se agotan, se me ocurre preguntarle si conoce algún chiste divertido de «toc, toc, ¿quién es?». Meg y él se inventaban unos chistes de lo más absurdos —«Toc, toc, ¿quién es? Laca. ¿Qué Laca? La cagaste, Burt Lancaster»—, y se reían a mandíbula batiente hasta que uno de ellos se ponía a llorar o se tiraba un pedo. Cuando yo meneaba la cabeza y les decía que eran unos ordinarios, ellos contestaban que yo no tenía su gen de humor estúpido, y aunque sabía que me estaban tomando el pelo, me sentía humillada.

Así que al final no le pregunto si sabe algún chiste, y ya no sé de qué hablar. Llevamos un buen rato caminando por la ciudad y *Samson* ha hecho dos cacas, que Scottie recoge estoicamente en unas bolsitas de plástico.

—¿Sigues buscándola? —me pregunta de sopetón.

—¿Sigo buscándola? —repito.

—A la persona de la nota. La que la ayudó.

No sé por qué me sorprende que Scottie esté enterado de lo que estoy haciendo. Lo ha sabido siempre.

Mi expresión debe de delatar la verdad, porque el niño asiente levemente, como si lo entendiera.

—Me alegro —dice.

Al llegar a la esquina de su casa, le quita la correa a *Samson*.

—Ve a por ella —dice. Yo pienso que se dirige al perro, pero entonces caigo en la cuenta de que me habla a mí.

Cuando llego a casa, saco el Tylenol del botiquín, tiro las pastillas al retrete y arrojo el bote al cubo de la basura. Al cabo de unos días, cuando a Tricia le viene la regla y se vuelve loca tratando de dar con el medicamento, yo me hago la tonta.

27

La próxima vez que voy a la biblioteca, me encuentro con que la puerta está cerrada con llave. Lo cual me choca. Conozco el horario de apertura de memoria. Cierra los domingos y los lunes. Abre los martes de una a seis. Miro mi teléfono móvil. Martes, las tres y media. Muevo un poco el pomo de la puerta, luego, frustrada, le asesto un puntapié.

Vuelvo al día siguiente, cuando la biblioteca debería estar abierta todo el día, pero me encuentro con lo mismo. Sin embargo, la señora Banks está dentro. Llamo a la puerta con los nudillos.

—¿Qué ocurre? —le pregunto cuando me abre.

—El fin de semana se produjo un pequeño incendio debido a un cortocircuito —me informa—. Tenemos que cambiar la instalación eléctrica, y no habrá luz en el edificio hasta que esté reparada. Hace años nos advirtieron que los cables estaban en mal estado. —La señora Banks menea la cabeza y suspira—. Es debido a los recortes en el presupuesto.

—¿Qué voy a hacer? —protesto. La biblioteca se ha convertido en mi cuerda de salvación, el medio de contactar con All_BS. Han pasado cuatro días desde la última vez que nos comunicamos, y estoy muy estresada.

La señora Banks sonríe.

—No te preocupes. Ya he pensado en la solución. —Entra de

nuevo en la biblioteca y regresa con una bolsa de papel llena de libros—. Puedes quedártelos hasta que volvamos a abrir. No tardaremos más de una semana o dos. Estos libros son de extranjis, por decirlo así —dice guiñándome el ojo—. Te los presto bajo tu palabra de honor de que me los devolverás. Me fío de ti.

No volveré a tener acceso a Internet hasta el viernes, en casa de la señora Chandler. Pero ella estará ahí, de modo que no podré conectarme a hurtadillas. Estoy desesperada por tener noticias de All_BS, hasta el punto de explicar a la señora Chandler lo del incendio en la biblioteca y preguntarle si puedo quedarme después del trabajo para mirar mi correo electrónico utilizando su wifi. La mujer se me queda mirando unos momentos.

—¿No tienes Internet en tu casa? —pregunta. Yo niego con la cabeza, abochornada—. Por supuesto —dice—. Puedes utilizarlo cuando quieras.

Cuando por fin me conecto estoy nerviosa y preocupada. ¿Y si All_BS ha perdido interés? Pero veo varios mensajes de él que aún no he leído. El silencio ha obrado en mi favor. Acostumbrado como estaba a tener noticias mías todos los días, salvo los domingos y los lunes, All_BS está claramente preocupado porque hace casi una semana que no contesto a sus mensajes, en los que detecto un tono de creciente preocupación. No sé si le preocupa que me haya quitado de en medio sin comunicárselo, o que haya cambiado de parecer.

Tricia siempre dice que los hombres te desean más cuando creen que no pueden tenerte.

Yo le tranquilizo diciéndole que he tenido problemas para acceder a Internet. Entonces pienso en el semblante preocupado de la señora Chandler y se me ocurre una idea.

«Creo que no podré volver a acceder a Internet durante unos días», escribo, exagerando el problema de la instalación eléctrica de la biblioteca. «Y no sé cómo podré hacer esto sin tu ayuda. Ya he elegido mi ruta, pero si no cojo pronto el autobús, quizá lo pierda. ¿Hay alguna otra forma de que podamos comunicarnos? ¿Por ejemplo por teléfono?»

Tengo la sensación de que su respuesta tarda una hora en llegar, aunque sólo tarda cinco minutos.

«No es prudente», me contesta All_BS.

Me obligo a esperar diez minutos antes de responder. «No veo otra solución», escribo. Luego tecleo el número de mi teléfono móvil. «Llámame si puedes.»

No sé nada de él. Y sin Internet, no podemos comunicarnos por correo electrónico. Aunque me fastidia reconocerlo, echo de menos nuestra correspondencia electrónica. Lo cual significa que le echo de menos a él.

El trabajo es un rollo. Por más que friegue y pula, pienso que las casas siguen teniendo un aspecto deslucido. Una mañana, cuando llego a casa de los Purdue, veo el coche del señor Purdue aparcado frente a la entrada y siento deseos de salir corriendo, pero ¿adónde voy a ir? Hago acopio de valor y abro la puerta con la llave que la señora Purdue oculta debajo de una roca falsa.

Estoy en la cocina, sacando los artículos de limpieza de debajo del fregadero, cuando entra el señor Purdue.

—Me he quedado en casa porque estoy indispuesto —me informa, respondiendo a una pregunta que no le he hecho.

—Espero que se mejore.

—No, si estoy bien. Me he tomado el día libre más bien por una cuestión de higiene mental.

Me dirijo al cuarto de baño sin responder. Cierro la puerta, aunque sé que al hacerlo los gases de los productos serán más intensos. Estoy inclinada sobre la bañera sosteniendo un bote de Clorox cuando oigo que se abre la puerta a mi espalda. Los Purdue tienen dos cuartos de baño, por lo que no es necesario que él utilice este. Espero a que dé media vuelta y salga, pero no lo hace. Se acerca a mí. Está descalzo y oigo el sonido de sus pies sobre las losetas del suelo.

Me levanto y me vuelvo, sosteniendo en alto el bote de Clorox, con el dedo sobre el pulverizador. Él avanza un paso hacia mí. La distancia entre nosotros es innecesariamente escasa; luego avanza otro paso.

Yo sostengo el bote ante su rostro y oprimo brevemente el pulverizador a modo de advertencia.

—Deme un motivo para hacerlo —digo—. Sólo uno. —Procuro mostrarme dura, pero mis palabras suenan casi implorantes.

Él sale del baño, alzando los brazos en señal de rendición. Cuando oigo el chirrido de los neumáticos en el sendero de acceso a la casa, mi furia se desvanece. Pero a diferencia de la última vez en que el señor Purdue trató de meterme mano, no me siento triunfante como Buffy. Ya le advertí una vez, pero él me pagó diez dólares más y ahora lo ha vuelto a intentar.

Esta noche me siento deprimida. Tricia ha salido con Raymond, y los vecinos de la casa de al lado han organizado una fiesta. Huelo todavía a lejía, a pesar de haberme duchado, pero no es el olor a lejía, sino la lascivia del señor Purdue lo que no consigo quitarme de encima.

No tengo ganas de mirar las notas de La Solución Final, de modo que trato de esforzarme en hacer algo distinto. Hojeo un par de libros de la biblioteca, pero no consigo concentrarme en las palabras. Abro el ordenador de Meg para hacer un solitario, pero termino entrando de nuevo en su correo electrónico. Contemplo por enésima vez la laguna en sus correos, como si los mensajes eliminados pudieran materializarse por arte de magia y responder a todas mis preguntas. Retrocedo y leo las notas que escribió a Ben. Luego leo las respuestas de él.

«Tienes que dejarme en paz.» Recuerdo el cabreo que pillé al leerlo por primera vez. Pero ahora me cuesta enfadarme. ¿Quizá porque yo le dije eso mismo a Meg, aunque no con palabras?

¿Se había enfadado ella conmigo? ¿Por aproximarme demasiado a ella? ¿Por alejarme? ¿Por no haber ido a Oregón durante las vacaciones navideñas? Abro el correo que me escribió cuando rompí nuestras semanas de silencio contándole que el señor Purdue me había tocado el culo. «¡Ah! Ese viejo verde. ¡Cómo me habría gustado estar presente! Sé que siempre serás fuerte; siempre serás mi Buffy», escribió.

Saco mi teléfono móvil. Todavía conservo los mensajes de texto de Ben, que concluyeron bruscamente cuando le dije que me dejara tranquila. Mi dedo se detiene sobre el botón de llamar. Imagino que hablo con él, que le cuento lo que me ha pasado hoy con el señor Purdue, que le cuento *todo* lo que ha sucedido durante estas últimas semanas.

No me percato de que he pulsado el botón hasta que oigo el primer tono. Cuando oigo el segundo, recuerdo las veces que sonó su móvil el día en que estuvimos sentados en el sofá mirando la televisión. Imagino que mi llamada es la que le interrumpe esta vez cuando está con una chica, y con una inopinada y violenta sensación de rabia, me doy cuenta de que me he convertido en esa chica. Cuelgo antes de que suene el tercer tono.

En mi móvil conservo también un mensaje de texto de Alice facilitándome el número de Tree. «Llámala», me decía Alice. No lo he hecho, porque el propósito de localizar al misterioso amigo de Meg era localizar a All_BS. Pero en estos momentos la cáustica amargura de Tree encajaría con mi estado de ánimo.

La *hippy* más gruñona del mundo que propugna la paz y el amor responde a mi llamada.

—¿Qué?

—¿Eres Tree? —pregunto, aunque sé que lo es.

—¿Quién quiere saberlo?

—Soy Cody. —Tras una pausa, añado—: La amiga de Meg.

Se produce un silencio, no precisamente amigable. Al parecer no tiene ganas de hablar. De modo que continúo:

—Esto… hace unas semanas vi a Alice.

—Felicidades.

La buena de Tree. Al menos es consecuente.

—Me comentó que es posible que Meg te dijera que iba a tomar antidepresivos o algo por el estilo —digo.

—¿A mí? —responde, emitiendo un sonido entre una risotada y un ladrido—. ¿Por qué iba a hacerlo? No solíamos hacernos la manicura la una a la otra.

Es una imagen tan estrafalaria que casi sonrío.

—No creí que fuera probable, pero Alice dijo que le habías comentado algo al respecto, aunque no recordaba qué era.

—Meg no me dijo nada. Pero alguien debió de obligarla a tomarse un bote entero de antidepresivos. Estaba claro que los necesitaba.

Mi casi sonrisa desaparece.

—¿A qué te refieres?

—Jamás he conocido a nadie que pasara tanto tiempo en la cama. Excepto mi madre cuando cae en un episodio depresivo.

—¿Tu madre?

—Es bipolar. No sé si Meg lo era. Nunca la vi en un estado de euforia, pero sí deprimida. Créeme, conozco el tema.

Se me ocurre revelar a Tree que Meg había padecido mononucleosis, el cansancio que le acometía a veces desde entonces, que el hecho de que durmiera como cinco personas era porque consumía la energía de diez. «Necesita un poco de tiempo para recuperarse», decía a veces Sue cerrando la puerta y obligándome a marcharme.

Pero en ese momento Tree dice:

—Además, las personas sanas no hablan de esa forma sobre el suicidio.

El vello de la nuca se me eriza.

—¿Qué?

—Asistíamos juntas a una clase de literatura feminista, y una noche ella y otras chicas y yo estábamos en un café, estudiando en una mesa, cuando Meg empezó a preguntarnos a todas cómo nos quitaríamos la vida. Estábamos leyendo a Virginia Wolf, y al principio pensé que por eso lo preguntaba. Todas ofrecimos unas respuestas más o menos estúpidas a la pregunta. De un tiro, ingiriendo pastillas o saltando de un puente, excepto Meg. Ella respondió de forma muy concreta: «Yo ingeriría veneno y lo haría en la habitación de un hotel y dejaría a la camarera una generosa propina».

Ninguna de las dos decimos nada. Porque ambas sabemos que eso es justamente lo que hizo al final.

—Entonces le dije que acudiera al centro de salud del campus para que le recetaran Prozac.

Una persona amiga me aconsejó que fuera al centro de salud del campus para que me recetaran unas pastillas.

—Fuiste tú —murmuro.

Oigo la sorpresa de Tree a través del móvil.

—¿Yo?

—Meg dijo que una persona amiga le aconsejó que fuera al centro de salud del campus. He hablado con docenas de personas y nadie le dijo nada de eso, a nadie se le ocurrió sugerírselo. Salvo a ti.

—Ella y yo no éramos amigas.

—Pero ella y yo sí. Éramos amigas íntimas, y no sólo no le aconsejé que hiciera eso, sino que no se me ocurrió.

—Entonces le fallamos las dos —dice Tree. Su voz denota furia. De golpe lo comprendo todo. Su resentimiento. Es Meg. Son los tentáculos de su suicidio, extendiéndose, abrasando a personas que apenas la conocían.

—Lo siento —murmura.

—Ella te hizo caso. Fue al centro de salud del campus para que le dieran unas pastillas.

—¿Y qué ocurrió? —pregunta Tree—. ¿No se curó?

—Entiendo que tienes que tomarlas para curarte.

—¿Y ella no las tomó?

—Alguien la convenció de que no las tomara.

—¿Por qué? Esos fármacos salvaron la vida a mi madre.

Pienso en todas las cosas que he leído en el foro sobre que esos fármacos embotan el alma. Pero no fue por eso. Fue porque alguien convenció a Meg de que su vida no merecía ser salvada. Que la muerte era la mejor opción. Fue porque, en última instancia, cuando debí ser yo quien le susurrara al oído para decirle que era una persona maravillosa, que su vida era y volvería a ser maravillosa, All_BS ocupó mi lugar y fue él quien le susurró al oído.

Tree tiene razón en lo de haber fallado a Meg. Pero no fue ella sino yo quien le fallé. Le fallé en vida. Pero no le fallaré en la muerte.

28

Al día siguiente, mientras paso el aspirador en casa de la señora Driggs, mi teléfono móvil empieza a vibrar en mi bolsillo. Lo saco y reconozco el número 206 del código postal, pero la llamada ha ido al buzón de voz. Al cabo de unos segundos suena de nuevo para indicar que tengo un mensaje.

Miro el móvil en la palma de mi mano, con el motor del aspirador en marcha. ¿Por qué me ha llamado Ben? ¿Sabe que he sido yo quien le ha llamado? Ni siquiera sé si ha guardado mi número, y el mensaje que he grabado en mi buzón de voz es neutro por si me llama All_BS.

Sea lo que sea que quiera decirme —«¿quién eres?» o algo parecido—, no quiero oírlo. Decido borrar el mensaje del buzón de voz, pero dudo, y en ese momento el teléfono vuelve a sonar y me siento aliviada y avergonzada a partes iguales.

—Hola —digo, con el corazón latiéndome con furia.

Se produce una breve pausa al otro lado de la línea telefónica.

—¿Repeat? —dice la voz. El aspirador sigue en marcha, y tardo un minuto en percatarme de que no es Ben. Miro el móvil para comprobar la identidad de mi interlocutor. Esta vez no es el número 206. Está bloqueado—. Repeat —dice de nuevo la voz, y entonces comprendo que no me pide que repita nada.

—Sí.

—¿Sabes quién soy?

—Sí.

—¿Qué es ese ruido?

—Estoy trabajando.

Él se ríe.

—Yo también.

Su voz no es como yo esperaba. Es jovial, casi reconfortante. Parece como si nos conociéramos.

Apago el aspirador.

—Ya está. ¿Me oyes mejor?

—Sí. —Él se ríe de nuevo—. Ojalá yo pudiera apagar el ruido en mi trabajo tan fácilmente. Pero he buscado un lugar tranquilo para hablar. Perdona que haya tardado en llamarte.

Aguzo el oído; al fondo se oye el sonido metálico de un aparato eléctrico. ¿Unas cajas registradoras?

—Uno tiene que elegir los riesgos a los que se expone y mitigarlos.

—Sí —digo.

—A propósito de riesgos y de elegir, ¿te has decidido?

—Sí —respondo.

—Eres muy valiente —dice él.

—Tengo miedo. —Las palabras surgen de mi boca sin que me dé cuenta. Es la pura verdad. All_BS parece tener la habilidad de obligarme a decirla. Lo cual, en cierto modo, no deja de ser irónico.

—¿Sabes lo que dijo George Patton? —prosigue él—. «Todos los hombres inteligentes tienen miedo. Cuanto más inteligentes son, más miedo tienen.» También es aplicable a las mujeres.

Yo callo.

—¿Has decidido el método que utilizarás? —pregunta.

—Sí. Voy a...

—No me lo digas —me corta—. Es una decisión personal.

—Ah, lo siento. —No sólo me siento decepcionada, sino desolada. Ansío decírselo.

—¿Has puesto tus asuntos en orden?

Tus asuntos en orden. Es la jerga de una de las páginas web a las que me había remitido. Contenía todas las instrucciones necesarias sobre escribir la nota y redactar un testamento legalmente vinculante.

—Sí —contesto. Me siento aturdida.

—Recuerda que lo contrario del valor no es la cobardía, sino la conformidad. Tú te rebelas contra la conformidad, has elegido tu camino.

En alguna parte de mi confusa mente pienso que a Meg le habría encantando ese concepto, suponiendo que él lo hubiera empleado con ella. Siempre se rebeló contra la conformidad, hasta el final.

—Ahora, como en todo, es cuestión de llevarlo a cabo. Fuerza tu valor...

—Hasta el límite —digo, rematando la frase sin pensar.

Se produce una pausa en la línea. Como si él sopesara algo. He cometido un error.

De pronto se produce un barullo al tiempo que el sonido ambiental se intensifica a través del teléfono. Unos pitidos electrónicos y el tintineo de monedas. Es el sonido de numerosas máquinas tragaperras. Un sonido que reconozco por haberlo oído en los casinos indios.

—La puerta estaba cerrada —le oigo decir con tono áspero, un tono muy distinto del que ha empleado hasta ahora.

—Lo siento, Smith. La cerradura se rompió hace varias semanas.

Oigo un portazo y el ruido de fondo se desvanece.

—Tenemos que dejarlo —dice él con tono serio—. Te deseo suerte.

—Espera —digo. Quiero que me envíe lo que encontré en la papelera del ordenador de Meg: los documentos encriptados, la lista de comprobación, más pruebas con que incriminarlo.

Pero ha colgado.

29

Por la noche llamo a Harry Kang.

—¿Harry? Soy Cody.

—Cody... Hola... —Oigo el sonido de un claxon y una cacofonía de personas hablando a la vez.

—¿Dónde estás? —pregunto.

—En Corea, he venido a visitar a mi abuela. Un momento. —Le oigo mover el teléfono y el sonido eléctrico de un timbre. Luego se hace el silencio—. Ya está. Ahora estoy en una tienda de té. Seúl es una locura. ¿Qué sucede?

—Quizá tenga suficiente información. O bien he conseguido toda la información que voy a conseguir. —Las últimas palabras de All_BS resuenan en mis oídos. *Te deseo suerte.* Como si estuviéramos hablando de mi graduación en el instituto. O como si él supiera que era la última vez que hablábamos.

—¿Qué tienes?

—Esto es lo que sé con certeza. En realidad, no sé nada con certeza. Esto es lo que tengo. Estoy segura de que ese tipo está en algún lugar de la costa Oeste. Siempre parece estar cenando cuando lo hago yo.

—Eso lo reduce a unos cuantos millones de personas.

—Hay más. Creo que es posible que trabaje en un casino. Un casino en la costa Oeste... ¿Las Vegas?

—¿Que tiene una población de aproximadamente un millón de personas? Suponiendo que esté allí. Podría trabajar en Nevada —dice Harry—. El juego es legal en todo el estado.

—O podría trabajar en un casino indio en cualquier lugar —añado.

—Exacto. ¿Qué más tienes?

—Su apellido podría ser Smith. Alguien lo llamó por ese nombre.

—Es útil disponer de un nombre, aunque sea el nombre menos útil que exista. —Harry hace una pausa—. ¿Tienes algo más?

—No. Fue una llamada breve.

—¿Una llamada? ¿Te llamó él?

—Sí.

—¿Desde un teléfono fijo o un móvil?

—No lo sé. El número estaba bloqueado. Pero estaba trabajando, por lo que deduzco que era un móvil.

—¿Y tú hablabas por un teléfono fijo o un móvil?

—Un móvil. Yo estaba trabajando, y nos dimos de baja de nuestro teléfono fijo.

—¿Cuándo?

—¿Cuándo nos dimos de baja?

—No, Cody. ¿Cuándo te llamó?

—Hace un rato.

—¿En serio? —La voz de Harry suena más animada.

—Sí. ¿Por qué, es malo?

—Una imprudencia.

—¿De modo que es perjudicial para él, pero beneficioso para nosotros?

—Es posible. —Incluso a través del teléfono me doy cuenta de que Harry sonríe—. Tienes que permitirme un acceso total a la cuenta de tu móvil.

—De acuerdo.

—Y envíame todo lo que tengas de ese Smith. Nombres de usuario, las cuentas a través de las que os comunicabais... Todo lo que tengas sobre él. Cualquier rastro electrónico. Envíamelo todo por correo electrónico.

Lo haré, aunque tenga que plantarme frente a la casa de la señora Chandler para utilizar su señal de wifi. Aunque la señora Banks me ha dicho que la biblioteca volverá a abrir dentro de poco.

—Hecho.

—Ten en cuenta que voy a hacer algunas cosas al borde de la legalidad.

—Por una buena causa —le recuerdo.

—Desde luego. En casa de mi abuela me estoy volviendo loco, de modo que me vendrá bien tener un proyecto. Cuando averigüe algo, me pondré en contacto contigo.

Esa tarde me sitúo delante de la casa de la señora Chandler, en la que no hay nadie, para piratear su señal de wifi y enviar a Harry todo lo que me ha pedido. Al día siguiente, la biblioteca abre de nuevo sus puertas. Entro con mi ordenador portátil y compruebo el servicio de mensajes anónimo que utilizamos All_BS y yo, pero no hay nada. Entro en el foro de La Solución Final, pero tampoco encuentro nada de él. Estoy convencida de que no voy a recibir más comunicados de él. Pero quizá no importe. Quizás he dejado de ser el ratón para convertirme en la serpiente.

Tres días más tarde me llama Harry.

—No ha sido fácil —dice. Parece muy satisfecho.

—¿Lo has localizado?

No responde. En vez de ello, me cuenta una larga y complicada historia de que All_BS utilizó Skype para hacer una llamada VoIP, no a través de un teléfono sino de una tableta. Es difícil rastrear un número telefónico, pero no tanto rastrear la aplicación de un usuario.

—Así es como atrapan a los mejores criminales —me explica—. Son muy cautos, hasta que cometen una imprudencia.

—¿De modo que lo has encontrado?

—Como he dicho, no ha sido fácil. La tableta estaba registrada a nombre de un tal Allen DeForrest.

—¿Es él?

—No lo creo —responde Harry—. Cuando indagué más, resulta que este DeForrest tiene un perfil muy potente *online*. Está en Facebook y en Instagram, y ha colgado numerosas fotografías y actualizaciones personales. Supuse que nuestro hombre sería más reservado. Pero tuve una corazonada, y al investigar más fondo a DeForrest averigüé dónde trabaja. Es jefe de sala del Casino Continental.

—¿Qué es un jefe de sala?

—Una especie de encargado, pero lo importante no es eso, Cody. El caso es que trabaja en un casino. ¡Tenías razón! No está en Las Vegas, sino en Laughlin, Nevada, que es una especie de Las Vegas para pobres.

—Pero has dicho que no crees que DeForrest sea nuestro hombre.

—Así es. Para empezar, supuse que el tipo al que quieres localizar, con sus complicados métodos de encriptación, no sería tan incauto como para utilizar su propio artilugio. Segundo, puesto que buscamos a un tal Smith entré en los archivos de los empleados del Casino Continental y miré las personas que se apellidan Smith. Como puedes imaginar, hay bastantes. Pero sólo un par de B. Smith.

—¿B?

—All_BS.

—Supuse que significaba *«all bullshit»*.

—Yo también. Y puede que sea así. Pero esa clase de tipos, que cometen este tipo de cabronadas y las ocultan, a veces les gusta jactarse de lo que hacen. Así que pensé que BS quizá fueran sus iniciales, sobre todo sabiendo que se apellida Smith. —Harry hace una pausa—. De modo que lo comprobé. Sólo hay tres B. Smith empleados en el casino. Bernadette, Becky... —Harry se detiene—. Y Bradford.

El vello de la nuca se me eriza.

—¿Bradford?

—Bradford Smith. Cincuenta y dos años. Trabaja en el Casino Continental. Hay más. Miré su historial en Internet y averigüé que tiene contratada la banda ancha más cara, pero, a diferencia de DeForrest, apenas deja huella *online*. Encaja con el perfil.

—De modo que es él.

—Es posible.

—¿Cómo podemos averiguarlo con certeza?

—¿Reconocerías su voz?

Nuestra única llamada telefónica. Breve, pero indeleble.

—Creo que sí.

—Perfecto. Tengo el número de su móvil. Podemos llamarlo a través de una línea bloqueada para que hables con él. Si salta el buzón de voz, oirás su mensaje. Si responde él, me haré pasar por un teleoperador, tú no tienes que decir nada. En cualquier caso, podrás confirmar su voz.

—¿Eso es todo?

—Sí. Cuelga, volveré a llamarte y haré que entres en la línea.

—¿Ahora? ¿No sospechará?

—¿Quién va a sospechar de un teleoperador?

—Tienes razón.

—De acuerdo. ¿Qué podemos vender que nadie quiere comprar? —pregunta Harry.

—Yo trabajé como teleoperadora durante un tiempo. Nadie quería un seguro de vida suplementario, y me parece adecuado que le ofrezcas eso. —Explico a Harry lo que tiene que decir.

—De acuerdo. Cuelga, volveré a llamarte y lo haremos.

Cuando me llama de nuevo, la línea ya está sonando.

—Chissst —me dice.

La voz que responde lo hace con tono hosco.

—¿Sí?

—Hola, trabajo para la agencia de seguros Good Faith —dice Harry con desparpajo, como si estuviera acostumbrado a hacer esto—. El motivo de mi llamada es informarle de que hemos reducido drásticamente el precio de nuestros seguros en Laughlin. Nos encantaría ofrecerle una valoración sin compromiso de su actual póliza de seguro de vida y mejorar el precio que paga por ella. Si todavía no tiene contratada ninguna, me encantaría comentarle esta aconsejable inversión en su futuro.

—Ya se lo he dicho, no me interesa —contesta él. Y cuelga.

Permanecemos unos momentos en un triángulo de silencio. Yo. Harry Kang. Y la voz desconectada de All_BS.

30

De nuevo, regreso a la biblioteca para mis trabajos de investigación, pero esta vez es más sencillo. Sólo tengo que pensar en la forma de ir a Laughlin. Lo más duro ha pasado.

Casi no me lo creo. Llevo semanas buscando a All_BS, y a veces tenía la sensación de que perseguía a un fantasma. Pero está aquí. Tengo unas señas. Anoche me llamó de nuevo Harry para proporcionarme toda la información de contacto de All_BS, de Bradford Smith.

—¡Eres un puñetero genio, Harry Kang! —le dije.

—No sé si soy un puñetero genio, pero me conformo con genio a secas —responde. Y percibí de nuevo la sonrisa en su voz.

—Gracias, Harry. Muchas gracias.

—No, gracias a ti —respondió con tono quedo—. Ha sido divertido. Pero al mismo tiempo tenía la sensación de hacer algo positivo. Algo positivo para Meg. —Tras una pausa añadió—: ¿Vas a ir a la policía?

—No estoy segura. He pensado en ir primero a Laughlin.

Harry guardó silencio.

—Ten mucho cuidado, Cody —dijo al cabo de unos momentos—. Cuando tienes contacto con personas *online*, todo parece abstracto, pero son de carne y hueso, y algunas no son buena gente, son más bien el tipo de personas con las que es preferible no estar en la misma habitación.

A veces no es necesario estar en la misma habitación con alguien para que esa persona te perjudique gravemente.

—Tendré cuidado —le prometí—. De nuevo, gracias.

—Como he dicho, me alegro de haberte ayudado. Además, no es tan difícil localizar a alguien.

—¿De veras?

Harry se rió.

—En todo caso, no lo es para mí.

En ese momento se me ocurrió otra idea.

—¿Crees que podrías localizar a otra persona?

El autocar tarda treinta horas en llegar a Laughlin, hay que hacer tres transbordos y el billete de ida y vuelta cuesta trescientos dólares. Tengo el dinero y puedo tomarme el tiempo que necesito para ir. Pero cuando pienso en las sesenta horas que pasaré sola en el autocar, empiezo a sentirme angustiada, como si una oscuridad se cerniera sobre mí. No puedo hacer esto sola, con la única compañía de Bradford y de Meg.

Pienso en las personas a las que puedo pedir que me acompañen. En la ciudad no hay ninguna. Jamás se lo pediría a Tricia, y menos a los García. Las amigas del colegio, con las que nunca tuve una amistad íntima, han desaparecido de mi vida. ¿Quién más? ¿Sharon Devonne?

Quizás alguien de Cascades. Pero Alice está trabajando aún en Mountain Bound. Harry estará en Corea hasta mediados de agosto. Eso deja a Richard el Drogata. No es la peor idea del mundo. Pasará el verano en su casa, en Boise, y me pilla de camino. Podría tomar un autocar a Boise y partir desde allí a Laughlin.

Hay otra persona. En cuanto pienso en él, comprendo que es el único. Porque es alguien que está tan involucrado en esto como yo.

Aún tengo su mensaje en el buzón de voz de mi móvil. No lo he escuchado, pero no lo he borrado. Lo escucho ahora. Tan sólo dice: «¿Qué necesitas de mí, Cody?»

Las palabras pueden tener muchos significados. Esa pregunta puede encerrar exasperación, contrariedad, culpa, rendición.

Escucho de nuevo su mensaje. Esta vez percibo el tono áspero y familiar de temor, preocupación y ternura que denotan sus palabras.

¿Qué necesitas de mí, Cody?

Y se lo digo.

31

Ben se ofrece a pasar a recogerme por casa, pero no quiero que venga aquí. Quedamos en encontrarnos en Yokima, frente a la terminal del autocar, el sábado al mediodía. Luego llamo a Richard el Drogata.

—Hace mucho que no sé nada de ti, Cody. ¿Qué me cuentas?

—¿Qué haces el sábado por la noche?

—¿Me pides que salga contigo? —pregunta en tono de guasa.

—En realidad, te pregunto si puedo dormir contigo —contesto, también en broma, antes de explicarle que voy a hacer un viaje en autocar y necesito un sitio donde dormir el sábado en Boise.

—Siempre hay sitio en casa de los Zeller. Pero si pasas aquí la noche del sábado, ten en cuenta que el domingo quizá tengas que cumplir con los preceptos de Jerry.

—De acuerdo —respondo, sin entender una palabra, aunque imagino que es una referencia a su padre, el reverendo Jerry Zeller—. Pero hay un pequeño problema.

—Qué raro.

—Iré acompañada de Ben McCallister.

Oigo a Richard aspirar con fuerza. No sé si debido a la sorpresa o porque ha inhalado el humo de una pipa.

—¿Estáis tú y él…?

—¡No, no! Nada de eso. Hace más de un mes que no hablo con él. Viene para echarme una mano.

—Para echarte una mano, ¿eh?

—No es lo que imaginas. Se trata de Meg.

—Ah. —La voz de Richard adopta un tono serio.

—¿Podemos quedarnos a dormir en tu casa? Nos iremos de aquí a mediodía, de modo que llegaremos allí sobre las seis o las siete.

—Seguro. El límite de velocidad en la I-84 es de ciento veinte, pero nadie circula a menos de ciento treinta. Llegaréis a media tarde.

—Bueno, ¿podemos quedarnos los dos en tu casa?

—Siempre hay sitio en el pesebre del reverendo Jerry —bromea Richard—. Estamos acostumbrados a tener a almas descarriadas durmiendo en el suelo. Por ser tú, quizá te ofrezcamos un sofá.

—No me importa dormir en el suelo.

—Siempre y cuando no sea junto a McCallister.

Espero hasta el viernes para decirle a mi madre que me marcho. Ya he cancelado mis trabajos de limpieza del lunes y el martes, porque supongo que regresaré el martes por la noche como muy tarde. No sé por qué me pone nerviosa tener que decírselo a Tricia.

Ella me mira unos momentos.

—¿Adónde vas?

Nunca ha tratado de controlarme, pero si le digo dónde voy, llegará a oídos de los García, y no quiero que sepan nada hasta que pueda informarles de algo útil. Además, si le cuento a Tricia la verdad, a pesar de la libertad que me da, no dejará que vaya.

—A Tacoma —digo.

—¿Otra vez?

—Alice me ha invitado a pasar un par de días con ella.

—Pensé que estaba en Montana.

Debí aprender la lección del contacto que he tenido con All_BS. La forma más segura de mentir es pegándote a la verdad.

—Y lo está. Pero regresará a casa para el fin de semana —respondo, confiando en que Tricia no recuerde que Alice es de Eugene.

Me mira de nuevo con recelo.

—Volveré el lunes por la noche, o el martes como muy tarde —añado.

—¿Quieres que vaya a limpiar alguna de tus casas?

Con un gesto de la cabeza le indico que no. Algunos desastres pueden esperar.

La noche del viernes no pego ojo, de modo que el sábado por la mañana meto unas cosas en una bolsa —el dinero que guardo en la caja, que asciende a quinientos sesenta dólares, mi ordenador y mis mapas—, y tomo el primer autocar a Yakima. Llego a las nueve y media, entro en una deprimente cafetería cerca de la terminal de autocares y despliego los mapas frente a mí. De aquí a Laughlin hay una tirada de casi mil setecientos kilómetros, atravesando Oregón y Idaho, antes de descender por la sierra oriental de Nevada.

La camarera me rellena varias veces la taza de café y me lo bebo, aunque el ardiente líquido no mejora mi acidez de estómago, por no hablar de mis destrozados nervios. Durante las últimas veinticuatro horas no he hecho más que dudar de lo acertado de haber llamado a Ben.

La campanilla suena al abrirse la puerta de la cafetería. Alzo la vista distraídamente y me sorprende ver que es él. Son las diez y media; habíamos quedado en encontrarnos aquí dentro de una hora y de Seattle aquí hay dos o tres horas en coche, por lo que calculo que se ha levantado al alba o ha conducido a toda pastilla, o ambas cosas.

Mi primer impulso es hundirme en el asiento, para ganar tiempo. Pero voy a pasar dos días encerrada en un coche con él, de modo que me armo de valor, me aclaro la garganta y digo:

—Hola, Ben.

Durante unos segundos mira alrededor del local tratando de

localizarme, hasta que me ve en el reservado, con los mapas extendidos sobre la mesa. Parece al mismo tiempo nervioso y aliviado, y su rostro es como un espejo que refleja mis sentimientos, porque esto es justamente lo que siento yo en estos momentos.

Se sienta frente a mí.

—Has llegado temprano —dice.

—Tú también. —Deslizo mi taza de café hacia él—. ¿Quieres un poco? La camarera acaba de rellenarla. Está recién hecho, o al menos hace poco que me lo ha servido.

Sus dedos se curvan alrededor de la taza de café, que no contiene leche ni azúcar, como a él le gusta, creo recordar. Lo observo. Esta mañana sus ojos son de un color violeta tan intenso como un moretón, a juego con sus ojeras.

—No he pegado ojo —dice.

—Debe de ser contagioso —respondo.

Él asiente con la cabeza.

—¿Qué plan tienes?

—Dentro de un rato partiremos para Boise. Podemos alojarnos en casa de Richard el Drogata, quiero decir de Richard Zeller. ¿Te acuerdas del compañero de residencia de Meg?

—Sí.

—Dijo que podíamos dormir en su casa. Es la casa de sus padres. A menos que quieras hacerlo en otro sitio. —Imagino que Ben tiene muchos sitios donde podría quedarse a dormir, muchas habitaciones que sus admiradoras no dudarían en ofrecerle.

—Me alojaré donde lo hagas tú.

Una simple frase que me reconforta como una manta.

—¿Vas a explicarme qué es lo que vamos a hacer?

Cuando lo llamé, le dije que había localizado a una persona relacionada con la muerte de Meg y que necesitaba que alguien me acompañara mientras yo hablaba con esa persona. No le conté nada más. Supuse que no necesitaba, ni querría, saber lo que había sucedido durante las semanas en que habíamos estado ausentes uno de la vida del otro. Pero ahora que me hace preguntas, temo explicarle la verdad. Harry me ha enviado unos correos aconsejándome prudencia, junto con unos artículos sobre chicas que conocen a tipos *online* y las desgracias que les ocurren. Yo agradecí su interés, pero no creí que viniera a cuento. Esas chicas eran unas románticas que confiaban en conocer a su príncipe azul, y los tipos tenían intenciones depravadas. No tiene nada que ver con Bradford y conmigo.

Pero ¿y si Ben no lo ve así? ¿Y si cuando le cuento lo que pienso hacer se echa atrás? ¿Y si se niega a llevarme?

Al ver que no respondo, me pregunta:

—¿Vas a contarme sólo lo que crees que debo saber?

—No. Es que… —Meneo la cabeza—. Es un viaje muy largo.

—¿Eso qué quiere decir?

—Hay tiempo de sobra. Te lo contaré más tarde. Te lo prometo. —Hago una pausa—. ¿Cómo están los chicos?

—Te he traído unas fotos —responde. Imagino que me las mostrará en su móvil, pero saca uno de esos sobres que dan en los laboratorios fotográficos y me lo pasa, deslizándolo sobre los mapas. Al abrirlo veo que contiene unas fotos de *Pete* y *Repeat* persiguiendo una cuerda, limpiándose la cara mutuamente, durmiendo hechos unos ovillos en los pies de la cama de Ben.

—¡Qué grandes están!

Él asiente.

—Son adolescentes. *Pete* trajo el otro día a casa un ratón muerto. Supongo que es el principio. No tardará en traer a casa todo tipo de animales.

—Pájaros. Ratas.

—Más adelante zarigüeyas, pequeños ponis. Esos dos son unos diablillos.

Me río. Tengo la sensación de que hace siglos que no lo hago. Le devuelvo las fotos.

Ben menea la cabeza.

—Son para ti.

—Ah, gracias. ¿Quieres comer algo antes de irnos?

Niega con la cabeza.

—Vine para matar el tiempo mientras te esperaba.

—Pues ya estoy aquí.

—Sí, ya estás aquí.

Se produce un tenso silencio que no augura nada bueno durante los dos próximos días.

—¿Quieres que nos pongamos en marcha? —pregunto.

—De acuerdo. Te advierto que la toma de mechero del iPod no funciona bien, por lo que la situación musical es precaria.

—Ya nos arreglaremos.

—Además, a mí no me importa demasiado, pero a ti quizá sí: el aire acondicionado está averiado, lo cual hará que el trayecto a través del desierto de Nevada sea, como poco, interesante.

—Pararemos en las gasolineras y nos remojaremos con agua y dejaremos las ventanillas abiertas. Es lo que hacíamos Meg y yo.

Me detengo. Todo acaba siempre en Meg. Cada capítulo de mi historia.

—Buena idea —dice él.

Salimos de la cafetería. Ben abre la puerta de su coche. Es asombroso lo limpio que está comparado con la última vez que me monté en él.

—¿Quieres que conduzca yo durante un rato? —pregunto—. ¿O no dejas que las chicas conduzcan tu coche?

—No tengo costumbre de dejar que nadie conduzca mi coche. —Me mira de refilón—. Pero tú no eres una chica.

—Vale. ¿Has descubierto ya a qué especie pertenezco?

—Aún no. —Me tira las llaves del coche—. Pero dejaré que conduzcas.

En cuanto tomamos la interestatal, me relajo. Obtuve mi carné de conducir a los dieciséis años, pero tengo tan pocas ocasiones de conducir que he olvidado lo liberador que es tener una carretera que se extiende ante ti y sentir el viento agitándote el pelo. Con las ventanillas bajadas y la música que suena por el equipo estereofónico, hay demasiado ruido como para hablar, lo cual me parece perfecto. Ben no puede preguntarme sobre Bradford, no puede preguntarme sobre el mes pasado, y tampoco puede mencionar el beso que nos dimos.

Al llegar a las afueras de Baker City nos detenemos a comer en un sitio que él conoce. Yo tengo mis dudas sobre un restaurante chino en la provinciana zona este de Oregón, pero Ben me asegura que los *dumplings* son los mejores que ha comido en su vida. Al parecer, viene aquí con frecuencia. La joven camarera, que es evidente que lo conoce, aprovecha cualquier excusa para acercarse a nuestra mesa para rellenar nuestras tazas de té y charlar con él, hasta que su madre sale de la cocina y la llama con tono severo.

—Vaya. ¿Conoces a todo el mundo en la I-84? —le pregunto.

—Sólo en los restaurantes chinos. Los de la I-5 también.

Señalo con la cabeza a la camarera, que lo mira sonriendo.

—¿Es una admiradora de cuando pasabas por aquí con una de tus bandas?

Ben me mira perplejo.

—No he venido nunca con mi banda. Solía comer aquí con mi hermana menor, Bethany.

Ese nombre me suena. Entonces recuerdo que era una de las chicas con las que Ben habló por teléfono cuando fui a verlo la primera vez en Seattle.

—¿Bethany es tu hermana menor?

Él asiente con la cabeza.

—Sí. Se sentía a disgusto en casa. Por esa época yo vivía en Portland, alojándome en casas de amigos y conocidos, de modo que me presenté en plan héroe, la cogí y me la llevé de gira. Quería llevarla a Utah. A Zion. Siempre he querido ir allí. —Remueve el té en su taza—. Pero el coche tuvo una avería justamente aquí. Era un Pontiac de mierda.

—¿Qué ocurrió con vuestra gira? ¿Hicisteis autostop?

—No, Bethany tenía sólo once años. —Ben sacude la cabeza—. Tuve que llamar a mi padrastro y pedirle que viniera a buscarla, y nos quedamos aquí hasta que llegó. Estaba tan cabreado conmigo que se negó a llevarme de regreso a Bend. Yo no tenía nada importante en Portland, de modo que me fui a Seattle haciendo autostop. Así es como aterricé allí.

—Ya. —No es exactamente la historia de una estrella del *rock* que persigue su sueño—. ¿Dónde está ahora Bethany?

—Allí —responde Ben con gesto inexpresivo.

No sé adónde se refiere con «allí», pero lo dice con un tono que deduzco que no es un sitio en el que me gustaría estar.

—Terminemos de comer y sigamos viaje —sugiere—. Ya sabes lo que ocurre con la comida china, que dentro de una hora volveremos a tener hambre.

—Vale. Faltan sólo dos horas para llegar a Boise. Y Richard me ha enviado un mensaje diciendo que esta noche hay barbacoa.

Ben parece animarse.

—¿Carne asada? ¿Nada de tofu?

Envío un mensaje a Richard preguntándole si habrá tofu, y me contesta con un emoticono vomitando.

—Estás de suerte —le informo.

Nos detenemos en una gasolinera para repostar y Ben toma el volante. No caigo en la cuenta de que no ha encendido un cigarrillo después de comer hasta que nos sentamos en el coche y tomamos de nuevo la interestatal. De hecho, no ha fumado en todo el rato desde que partimos.

—No te prives de fumar por mí —le digo. Pero entonces me percato de que el coche no huele como un cenicero, como la otra vez.

Ben sonríe tímidamente. Se arremanga la manga de la camiseta para mostrarme un parche de color carne.

—Lo he dejado.

—¿Cuándo?

—Hace unas semanas.

—¿Por qué?

—¿Aparte del hecho de que el tabaco mata y es muy caro?

—Sí, aparte de eso.

Ben se vuelve un segundo para mirarme antes de fijar de nuevo la vista en la carretera.

—Supongo que necesitaba un cambio.

A las seis llegamos a las afueras de Boise; el sol vespertino tiñe las estribaciones de la ciudad de rojo. Saco las señas que Richard me ha enviado por correo electrónico y dirijo a Ben a través del centro de la ciudad y la zona militar hasta que llegamos a una bonita calle bordeada de árboles con espaciosas casas estilo rancho. Nos detenemos delante de una con una frondosa mata de buganvillas de color naranja y una voluminosa camioneta blanca aparcada en la entrada.

—Es aquí —le digo.

Cuando llamamos con los nudillos a la puerta de entrada, me reprocho no haber traído un regalo. Es lo que uno debe hacer cuando te invitan a una casa. Pero es demasiado tarde.

No nos abre nadie. Llamamos al timbre. Nada. Hay gente en la casa. El televisor está encendido y se oyen voces en el interior. Llamamos de nuevo. Pero no hay respuesta. Me dispongo a enviar un mensaje a Richard cuando Ben abre la puerta y asoma la cabeza dentro.

—Hola —dice.

Una niña se acerca corriendo con una enorme sonrisa que se extiende en zigzag a través de su rostro, deforme debido a un labio leporino o a una de esas cosas que ves en los anuncios de televisión pidiendo dinero.

—Quizá nos hemos equivocado de casa —murmuro.

Pero la niña grita:

—¡Uichard, han llegado zus amigos!

Y al cabo de cinco segundos aparece Richard, toma a la niña en brazos y nos invita a pasar.

—Esta es CeCe —dice, haciendo cosquillas a la niña en los sobacos mientras ella chilla alegremente. Ben señala a otros tres chavales que están sentados en unos puf-sacos y unos cojines, viendo una película—. Estos son Jack, Pedro y Tally.

—Hola —saludo.

—Hola —dice Ben—. ¿*Toy Story*?

—Tres —contesta Pedro.

Ben asiente con una sonrisa de complicidad.

—¿Quiénes son? —murmuro a Richard cuando deposita a CeCe en el suelo.

—La familia dos punto cero —contesta Richard.

—¿Qué?

—Mis hermanos y hermanas, la segunda camada, aunque en realidad son más bien la primera. Mi otro hermano, Gary, está en el jardín, y mi hermana Lisa se encuentra en Uganda, trabajando con huérfanos en algo extremadamente noble.

Abre la puerta de cristal que da acceso al patio. Entonces saluda a Ben.

—Hola —dice secamente.

—Hola, Rich —responde él—. Gracias por invitarnos a quedarnos en tu casa.

—La he invitado a ella. Tú vienes en plan de acompañante.

En el patio hay dos hombres discutiendo junto a la barbacoa, mientras una mujer con un *short* recortado y un gracioso *top* de tirantes anudados en la nuca les observa metida en la piscina hinchable de los niños, perpleja.

—Ya me avisaréis cuando queráis que saque el maíz —dice. Entonces nos ve—. Jerry, han llegado los amigos de Richard. —La mujer sale de la piscina infantil y se acerca para presentarse—. Soy Sylvia. Tú debes de ser Cody. Y tú debes de ser Ben.

—Muchas gracias por dejar que nos alojemos en su casa —digo.

—Y por invitarnos a la barbacoa —añade Ben, observando la parrilla como si se relamiera.

—No habrá una barbacoa a menos que estos pelmazos dejen de discutir sobre qué leña utilizar para aromatizar la carne —nos aclara Sylvia.

—Papá —dice Richard.

Su padre es muy alto, tanto que tiene la espalda encorvada, como si se hubiera pasado la vida inclinándose para escuchar lo que dicen los demás.

—Hola —saluda con tono afable—. Gracias por venir a cenar esta noche con nosotros.

—Confío en que no les causemos ninguna molestia.

Sylvia se ríe.

—Como podéis ver, la casa está llena de gente.

—Creemos que nuestro padre se ha propuesto tener doce hijos, para disponer de su propia banda de discípulos —dice Gary, el hermano de Richard.

—La palabra «discípulo» implica cierta disciplina, acatar lo que dice vuestro padre, lo cual está muy lejos de ser la norma en esta casa —responde el reverendo en tono de broma. Nos mira a Ben y a mí—. Esta noche cenaremos costillas. Los chicos y yo no nos ponemos de acuerdo sobre si utilizar leña de nogal o de mezquite para aromatizarlas. ¿Vosotros qué opináis?

—Cualquiera de las dos es adecuada... —contesto.

—Mezquite —afirma Ben, tajante.

Richard y sus hermanos levantan el puño con gesto triunfal.

—Es lo más inteligente que te he oído decir —informa Richard a Ben.

—¡Richard! —le reprende Sylvia.

—De acuerdo, utilizaremos mezquite —dice Jerry, alzando las manos con fingida resignación—. Cenaremos dentro de un par de horas. Richard, lleva a tus amigos adentro. Sin duda estarán cansados del viaje, y ofréceles algo de beber.

El chico arquea una ceja.

—Un refresco —le recuerda su padre.

—También hay limonada —dice Sylvia.

—Estos monstruitos se la han bebido toda —protesta Richard.

—Pues prepara más. No será por falta de limones.

—Cuando la vida te da limones... —dice Richard. Luego me mira un segundo y calla. Como si pensara que no debe hacer este tipo de comentarios jocosos en mi presencia. No entiendo por qué, de repente, se muestra cohibido delante de mí.

—Haz limonada —añado, rematando la frase.

La cena, que se retrasa más de lo previsto, resulta caótica y deliciosa. Diez personas arracimadas alrededor de una mesa de picnic bajo el cielo azul de Idaho. Ben come tantas chuletas que hasta Richard se muestra impresionado, y cuando él explica que vive en una casa llena de veganos, Sylvia echa unos perritos calientes a la parrilla para redondear el menú. Miro a este chico casi escuchimizado, preguntándome cómo puede ingerir tal cantidad de comida. Pero lo cierto es que engulle otros dos perritos calientes y un par de sándwiches de helado de la nevera portátil de Costco que sacan después de la cena. Son más de las nueve cuando Sylvia y Jerry acometen la épica tarea de bañar y acostar a los niños, que están muy alborotados. Gary se marcha porque ha quedado con unos amigos. Richard arroja unos troncos en una estufa de leña situada al fondo del patio y se dirige al garaje en busca de un par de cervezas.

A través de la ventana veo a su padre, con un libro ilustrado abierto ante él, leyendo a los niños, acostados en unas literas. Oigo a Sylvia lavando los cacharros. Cruzo la mirada con Ben sobre la parpadeante luz del fuego, y juraría que estamos pensando lo mismo: *Qué suerte tienen algunas personas.*

De pronto me invade una melancólica nostalgia. *Echo de menos esto.* Pero ¿cómo puedo echar de menos algo que no he tenido nunca? Lo viví a través de Meg. Como prácticamente todo lo demás en mi vida.

El fuego chisporrotea. Richard apura su cerveza y esconde la lata vacía entre los arbustos.

—¿Queréis otra? —nos pregunta.

Ben niega con la cabeza.

—Es mejor que no. Mañana nos espera un largo viaje.

Me mira y asiento con la cabeza.

—¿Adónde os dirigís, exactamente? —pregunta Richard a Ben.

Este me mira, formulándome la misma pregunta en silencio. Aún no le contado toda la historia,

—A Laughlin, Nevada.

—Es lo que deduje —responde Richard. Se acerca a la nevera portátil y saca otra cerveza para él y un par de Dr. Peppers para Ben y para mí. Siento un nudo en el pecho, y es ridículo que me emocione porque se acuerde del refresco que me gusta—. Mi pregunta es por qué os dirigís a Laughlin.

Yo no respondo. Ben tampoco.

—¿Es un secreto? —inquiere Richard.

Ben me mira antes de responder:

—Eso parece.

—Un momento, ¿tú no lo sabes? —le pregunta Richard.

—Yo he venido de acompañante —replica Ben.

Ambos se miran unos segundos mosqueados, y luego me miran a mí. Dentro de la casa, Jerry y los niños están rezando, nombrando una larga lista de personas a quienes desean que bendiga el Señor.

—Esto tiene que quedar entre nosotros —digo, señalándoles a ellos dos y luego a Ben y a mí.

—Un círculo sagrado —bromea Richard—. O un triángulo. Un *ménage à silence.*

Yo le dirijo una mirada cargada de significado y él se pone serio y lo promete.

—¿Recuerdas cuando vine y Harry me ayudó con el tema del ordenador? —pregunto.

Richard asiente.

—Encontramos un archivo encriptado en el ordenador de Meg, que resultó contener unas instrucciones de un grupo de apoyo al suicidio, un grupo que apoya tu decisión de poner fin a tu vida. Hice unas indagaciones y descubrí que Meg se había puesto en contacto con este foro. Había un tipo que era su mentor, que la animaba a hacerlo.

—Es morboso —observa Richard.

—Sí, lo es —comento.

—Me cuesta creer que Meg se dejara embaucar por ese tipo.

—Lo sé —respondo. Pero no lo digo convencida. Porque ahora que conozco a Bradford, hasta yo me lo creo—. He localizado a ese tipo y voy a verlo.

—¿Qué? —pregunta Ben.

—Voy a verlo —repito, pero esta vez con escasa firmeza.

—Yo creía que querías hablar con alguien que conociera los detalles de la muerte de Meg, como sus amigos de Seattle —dice Ben. Me mira arrugando el ceño como si yo hubiera violado algún tratado.

Respiro hondo y procuro expresarme con serenidad.

—Voy a hablar con la persona que le *causó* la muerte.

—Pero fue ella misma la causante de su muerte —precisa Richard—. Es la definición del suicidio.

Lo miro cabreada.

—Bradford la indujo a hacerlo.

—¡Y eso hace que ir a verlo sea una idea genial! —me espeta Ben.

—Sabías que estaba tratando de localizarlo —replico.

—Yo no sabía nada de eso, Cody. Porque durante las seis últimas semanas te has negado a hablar conmigo.

—Estoy hablando contigo ahora. Las últimas seis semanas las he dedicado a tratar de dar con ese tío.

—¿Y cómo lo lograste? —pregunta Richard, mirándonos a Ben y a mí.

—Harry me ayudó, pero principalmente fue cosa mía. Me hice pasar por alguien que quería suicidarse. Hice de ratón apetecible. Y él fue la serpiente voraz.

—¡Joder, Cody! —exclama Ben—. ¿Estás loca?

—¿Te refieres a como lo estaba Meg?

Ben cierra la boca.

—¿Cómo lo hiciste? ¿Cómo se hace pasar uno por alguien que quiere suicidarse? —pregunta Richard—. Mi única experiencia en la materia fue lo contrario. Una persona con tendencias suicidas que fingía estar bien.

Podría contarles una chorrada. Podría mentir, inventármelo todo. Pero les digo la verdad.

—Descubrí una parte de mí que estaba cansada de vivir —respondo bajito—. E hice que aflorara. —Bajo la vista, incapaz de contemplar el estupor, furia o indignación que les producen mis palabras—. Supongo que eso confirma que estoy loca.

Miro a Ben de soslayo, pero tiene la vista clavada en el fuego.

—No —dice Richard—. Todos pasamos por eso. Todos tenemos nuestros días. Todos lo imaginamos alguna vez. Pero ¿sabes por qué dice mi padre que es pecado? —Señala hacia la casa, donde Jerry ayuda a Sylvia con el resto de los cacharros.

—Porque es un asesinato. Porque sólo Dios puede decidir cuándo llega el momento de que te vayas. Porque robar una vida es robarle a Dios.

Repito todas las cosas terribles que la gente ha dicho sobre Meg.

Pero Richard sacude la cabeza.

—No. Porque aniquila la esperanza. Ese es el pecado. Todo lo que aniquila la esperanza es pecado.

Reflexiono unos momentos.

—¿Qué esperas conseguir ahora que has localizado a ese tipo? —me pregunta Ben con un tono serio que me choca.

—Tiene que pagar de alguna forma por lo que ha hecho, como cómplice o lo que sea.

—Habla con la policía —me sugiere.

—No es tan sencillo —contesto.

—¿Se lo has contado a la familia de Meg? —pregunta Ben.

—Esa no es la cuestión —respondo.

—Nada de esto devolverá a Meg la vida —apunta Richard—. Lo sabes, ¿verdad?

Sí, lo sé. Pero esa tampoco es la cuestión, aunque no tengo muy claro cuál es la cuestión. El caso es que no puedo acudir a la policía ni hablar con la familia de Meg. Tengo que hacer esto —hacer *algo*— yo sola. Por Meg.

Y por mí.

32

A la mañana siguiente me despierta la coalición internacional de los niños Zeller saltando sobre el sofá. Me levanto, me visto y ayudo a Sylvia a tostar los gofres. Ben aparece entonces descalzo y frotándose los ojos.

—¿Quieres que nos tomemos un café de camino? —le pregunto.

—¿Ya os vais? —dice Sylvia.

Me disculpo, diciendo que no queremos molestar más, pero ella me asegura que no ha sido ninguna molestia.

—Es domingo.

—El servicio religioso es a las diez —dice Richard, que aparece vestido con unos tejanos relativamente limpios y una camiseta que no lleva estampada ninguna alusión a drogas—. ¿No podéis quedaros? El reverendo se disgustará si no os quedáis.

Miro a Ben, que no me ha dirigido la palabra desde anoche. Se encoge de hombros para que sea yo quien tome la decisión. Me vuelvo hacia Richard y Sylvia y me doy cuenta de que no importa que no les trajera un regalo. Lo importante es esto.

Señalo mi *short* recortado y mi camiseta sin tirantes.

—Será mejor que vaya a cambiarme.

—Hazlo si lo prefieres —dice Sylvia—, pero nosotros y nuestros feligreses no damos importancia a esas cosas. Ven vestida como quieras.

A las nueve y media nos ponemos en marcha. Richard nos lleva a Ben y a mí en su coche; el resto de la familia va en la furgoneta, que tiene una pegatina en el parachoques que pone *Coexiste.*

Frente a la iglesia, algunos feligreses reciben a los niños Zeller con muestras de cariño, cogiéndolos en brazos, mientras Sylvia y Jerry saludan a la gente. Richard entra en la iglesia con Ben y conmigo.

Nos sentamos. Los bancos están un poco gastados, y huele un poco a aceite de cocinar. Es la iglesia más destartalada que he visto nunca, y este año he entrado en muchas. Anteriormente, apenas pisé una iglesia, salvo para asistir a la primera comunión de Meg y alguna que otra misa del gallo. Tricia suele trabajar hasta tarde los sábados por la noche, y los domingos están reservados a venerar la almohada.

El oficio aquí es distinto de los oficios a los que he asistido. No hay un coro. En lugar de ello, algunas personas se levantan y cantan y tocan la guitarra o el piano, y cualquiera puede participar. Algunas de las canciones son religiosas, pero otras no. Ben sonríe complacido cuando un hombre barbudo toca una canción muy espiritual titulada «I Feel Like Going Home». Se inclina hacia mí y me informa de que es de Charlie Rich, uno de sus artistas favoritos. Es la primera frase normal que me ha dicho desde que discutimos anoche. Yo lo interpreto como un ofrecimiento de paz.

—Es preciosa —le digo.

Jerry se mantiene en un discreto segundo plano durante buena parte de la ceremonia, dejando que un hombre más joven que dirige el ministerio de la juventud presida el espectáculo. Luego, cuando los cantos han terminado y se han anunciado diversos eventos, se levanta del asiento en el que ha permanecido sentado tranquilamente, sube al púlpito, y, con voz templada pero firme, empieza a hablar.

—Hace unas semanas CeCe se puso enferma. Tenía fiebre y se

sentía mal, debido a un virus que estaba circulando. Sé que muchos de nosotros lo pillamos. —Se oyen murmullos y chasquidos de lengua entre los asistentes—. Ese día Pedro no tenía que ir al colegio, de modo que vino con nosotros al médico. CeCe ha ido a muchas consultas de médicos, y no le gustan. De modo que se puso muy nerviosa y rompió a llorar, y a medida que transcurría el tiempo la situación se iba agravando. Tuvimos que esperar mucho rato. Una hora. Que se convirtió en una hora y media. CeCe no dejaba de llorar, y vomitó. Principalmente sobre mí.

Se oyen unas risas afectuosas.

—Aún no sé si fue debido al virus, o porque estaba muy alterada por tener que ir al médico. Eso es lo de menos. El caso es que había una madre en la sala de espera con su hijita que torció el gesto al ver que CeCe vomitaba. Luego me reprochó que expusiera a los demás niños al virus que mi hija había contraído.

»En cierto sentido, lo entendí. Ninguno de nosotros queremos que nuestros hijos enfermen. Pero como padre me indigné. En mi fuero interno dije muchas cosas nada cristianas sobre esa mujer. Habíamos acudido a la consulta del pediatra porque CeCe estaba enferma, y esa mujer no se había comportado de forma cristiana. Las enfermeras estaban demasiado atareadas para ayudarnos, aparte de darnos unos pañuelos de papel y un desinfectante. A todo esto, CeCe no cesaba de llorar.

»Por fin, conseguí limpiarle la cara y el vestido y se quedó dormida. Pedro encontró un rompecabezas con que entretenerse, y puesto que aún faltaban unos minutos para que el médico nos recibiera, tomé una revista que había en la mesa. Tenía dos años de antigüedad, como suele suceder en las consultas de los médicos. La abrí por una página al azar. Era un artículo sobre el perdón. No era una publicación religiosa, sino una revista médica, y el artículo se refería a un estudio que había analizado todas las ventajas en materia de salud que ofrece el perdón. Al parecer, disminuye la tensión arterial, reduce la ansiedad y minimiza la depresión.

»Entendí que este artículo me había sido enviado aposta. Mientras lo leía, pensé en Colosenses, capítulo tres, versículo trece: "Soportaos mutuamente, y perdonaos, si uno tiene alguna queja contra otro: como el mismo Señor os perdonó, así también vosotros".

»De modo que perdoné a todas las personas que estaban en la habitación: a la mujer por su grosería, a las enfermeras por estar demasiado atareadas para ayudarnos, al médico por hacernos esperar, incluso a CeCe por el numerito que había montado. Y luego me perdoné a mí mismo. En cuanto lo hice, mi preocupación por mi hija remitió. Me sentí sereno, en paz y lleno de amor. Y en ese momento, recordé por qué Dios desea que perdonemos. No sólo porque es la clave de un mundo mejor, sino por los beneficios que nos reporta. El perdón es un don que nos ofrece Dios. Cristo nos perdonó. Perdonó nuestros pecados. Esa fue su dádiva. Pero al permitir que nos perdonemos unos a otros, hizo que nos abriéramos a su amor divino. El artículo daba en el clavo. El perdón es una droga milagrosa. Es la droga milagrosa de Dios.

Jerry continúa hablando, citando más pasajes de las Sagradas Escrituras sobre el perdón. Pero en estos momentos no me siento inclinada a perdonar. Anoche me fui a la cama antes que Ben y Richard, que se quedaron charlando alrededor del fuego. Esos dos apenas se toleran, por lo que supuse que no tardarían en irse a acostar después de que lo hiciera yo. Pero ahora, mientras el padre de Richard prosigue con su sermón, comprendo que me equivoqué en mi suposición. Está claro que alguien se fue de la lengua. ¡Menudo círculo sagrado!

Jerry continúa:

—Después de ver al médico, fui a pagar la visita en el mostrador de recepción y me tropecé de nuevo con la madre que se había ofendido conmigo. Todo el rencor que yo había experimentado había desaparecido. No tuve que hacer ningún esfuerzo por superarlo. Se había esfumado. Le dije que confiaba en que su hijita se recuperara.

»La mujer se volvió y me miró. Entonces vi lo cansada que estaba, como muchos de nosotros que somos padres. "Se pondrá bien —dijo—. El médico dice que su herida cicatriza bien." Miré a la niña y vi una pequeña llaga, todavía roja, en su barbilla. Me volví de nuevo hacia la madre y observé en ella algo más reciente: angustia, que no había cicatrizado bien. Quería preguntarle qué había sucedido, pero Pedro y CeCe tiraban de mí para que nos fuéramos, y, por otra parte, no me pareció correcto inmiscuirme en sus asuntos. Pero supongo que la mujer necesitaba desahogarse, porque me contó que hacía unas semanas había salido de casa apresuradamente, y que su hija se había quedado rezagada junto a las flores. Ella la había agarrado de la mano para hacerla avanzar, y la niña, que estaba absorta mirando las abejas que revoloteaban, había chocado con la verja. Así fue como se había hecho el corte en la barbilla. "Siempre le quedará esa cicatriz", me explicó con tono afligido. Entonces comprendí su ira. Comprendí que no se había perdonado a sí misma.

»"Su hija la perdonará si usted se perdona a sí misma", le dije. Ella me miró, y comprendí que lo que yo le pedía que hiciera, lo que Dios nos pide que hagamos —lo que yo os pido a todos que hagáis—, no es fácil. Dejar que nuestras heridas cicatricen. Perdonar. Y, a veces, lo más duro es perdonarnos a nosotros mismos. Pero si no lo hacemos, desaprovecharemos uno de los mayores dones que nos ofrece Dios: su cura milagrosa.

Cuando el sermón concluye, Richard se vuelve hacia mí, casi sonriendo. Parece sentirse muy orgulloso. De su padre, de sí mismo, por haber orquestado este mensaje de interés público.

—¿Qué te ha parecido?

No le contesto. Me levanto del banco y salgo.

—¿Qué pasa? —pregunta Ben.

El problema es que Richard Zeller y su padre no saben de qué rayos están hablando. No saben que algunas mañanas la ira es lo único —lo único— que me ayuda a soportar la jornada. Si me despojan de eso, me dejan expuesta, vulnerable, sangrando, incapaz de sobrevivir.

Me dirijo hacia el vestíbulo, reprimiendo unas lágrimas de furia. Richard me sigue.

—¿No podías seguir soportando al reverendo? —bromea, pero sus ojos muestran preocupación.

—Tú se lo dijiste. Me prometiste que no lo harías y mentiste.

—No he visto a mi padre hasta la hora de desayunar, y tú estabas presente.

—Entonces, ¿cómo lo sabe? ¿Cómo es que tenía preparado un sermón tan oportuno?

Richard mira hacia el santuario, donde los cantos han comenzado de nuevo.

—Para que te enteres, Cody, mi padre prepara sus sermones con varias semanas de antelación. No los improvisa. Y para que te enteres, tú no eres la única persona resentida que tiene alguna ofensa que perdonar, pero si como dice el reverendo la revista se abre por la página oportuna...

—¿Estás zumbado? —le interrumpo.

Ben se ríe de mi ocurrencia.

—No le dije nada al reverendo sobre tu viaje. Si quieres saber la verdad, tuve que convencer a McCallister para que no diera la vuelta y regresara a casa. Tú tienes más pelotas que él, lo cual no es ninguna novedad. —Los cantos finalizan. Richard señala el púlpito con la cabeza—. Entra de nuevo, casi ha terminado... Por favor.

Lo sigo hasta nuestro banco, en la primera fila, mientras Jerry imparte su bendición a los fieles, a los enfermos y a los que sufren, a los que van a casarse y a los que esperan un hijo. Como colofón, dice:

—Y que Dios bendiga y guíe a Cody y a Ben. Para que encuentren no sólo lo que buscan, sino lo que necesitan.

Miro de nuevo a Richard. No estoy segura de si me ha dicho la verdad sobre no haberle contado nada a su padre. Pero, en este momento, la traición, suponiendo que se haya producido, me parece menos importante que la bendición.

33

Cuando salimos de la iglesia, Ben me arroja las llaves, como si supiera que necesito conducir. Al llegar a Twin Falls salimos de la interestatal para tomar la autopista 93. Él empieza a bostezar, se le cierran los ojos. Ha dormido en el suelo de la habitación que comparten Richard y Gary, y dice que, entre los ronquidos de Richard y los murmullos en sueños de Gary, apenas ha pegado ojo.

—¿Por qué no echas un sueñecito? —sugiero.

Él niega con la cabeza.

—Lo prohíbe el código.

—¿Qué código?

—El de las giras. Alguien tiene que permanecer siempre despierto junto al conductor.

—Eso tiene sentido cuando sois varios, pero ahora estamos tú y yo solos, y estás cansado.

Él me mira, meditando en ello.

—Bueno —continúo—, podemos crear un nuevo código.

Ben sigue mirándome. Pero al fin se rinde. Vuelve la cabeza hacia la ventanilla y se queda dormido, sin moverse durante tres horas.

Hay algo nutritivo en verlo dormir. Quizá sea el sol, o mi imaginación, pero el tono violáceo de la piel debajo de sus ojos parece disiparse un poco. Duerme hasta que la autopista finaliza y me paro en una gasolinera para repostar. Dentro de la gasolinera hay un mapa enorme con un círculo rojo indicando dónde nos encontramos: la intersección de la autopista 93 y la interestatal 80. Para llegar a Laughlin, tenemos que seguir por la 80 hasta tomar la interestatal 15 cerca de Salt Lake City en dirección sur. Pero si nos dirigiéramos hacia el oeste, la interestatal nos llevaría a California, y después nos dejaría en el lago Tahoe.

Después de que Harry me respondiera enviándome la dirección, yo había contemplado el lago durante horas. Aunque la población donde residía mi padre no estaba a orillas del lago, estaba cerca. El lago tenía un aspecto tan hermoso, sus aguas tan límpidas y azules...

—¿A cuántos kilómetros queda Truckee, California? —pregunto al empleado detrás del mostrador.

Él se encoge de hombros. Pero un camionero que lleva una gorra de Peterbilt me informa de que está a unos quinientos kilómetros.

—¿Sabe cuánto hay de Truckee a Laughlin, Nevada? Me refiero a si tengo que dar un rodeo muy grande.

El camionero se rasca la barba.

—Probablemente tienes que sumar otros quinientos kilómetros. Hay unos ochocientos o novecientos kilómetros desde Truckee, y unos ochocientos kilómetros desde aquí. En cualquier caso, es una buena tirada.

Doy las gracias al camionero, pago cuarenta dólares por la gasolina, un mapa de California, un par de burritos y una botella de litro de Dr. Pepper, y regreso al coche, donde Ben está buscando afanosamente sus gafas de sol.

—¿Crees que llegaremos a Laughlin esta noche? —me pregunta.

—Sería forzar mucho la marcha. Hemos salido tarde, de modo que no llegaríamos allí hasta medianoche. —Empiezo a llenar el tanque.

Ben se baja del coche y se pone a limpiar las lunas.

—Podemos hacerlo de un tirón. Me siento descansado. ¿Cuánto rato he dormido?

—Durante unos cuatrocientos kilómetros.

—Podemos llegar esta noche. Yo conduciré.

Dejo de llenar el tanque y se hace el silencio.

—¿Qué? —pregunta Ben. Mira el mapa de California que sostengo en la otra mano—. ¿Has cambiado de parecer?

Niego con la cabeza. No he cambiado de parecer. Sigo queriendo hacer lo que me he propuesto. Llegar hasta el final. Pero estamos cerca. Aunque no tanto. A unos quinientos kilómetros. Y puede que estas señas no sean correctas, o las actuales. Harry me dijo que el hombre al que busco se había mudado en varias ocasiones. Pero quinientos kilómetros de distancia es lo más cerca que he estado de él en mucho tiempo.

—¿Cuándo tienes que regresar? —pregunto.

Ben elimina una polilla del parabrisas y se encoge de hombros.

—Estaba pensando que podríamos dar un rodeo.

—¿Un rodeo? ¿Para ir adónde?

—A Truckee. Está en California, cerca de Reno.

—¿Qué hay en Truckee?

Si hay alguien capaz de entenderlo, es Ben.

—Mi padre.

34

A las diez empezamos a ascender las montañas de Sierra Nevada, circulando a paso de caracol detrás de autocaravanas y camionetas que remolcan gigantescas lanchas motoras. Ben lleva conduciendo seis horas seguidas. Tenemos que repostar de nuevo, y pensar en dónde nos detendremos para pernoctar, pero yo quiero seguir, para llegar a nuestro destino lo antes posible.

—Opino que deberíamos parar mejor antes que después —dice Ben.

—Pero aún no hemos llegado.

—Truckee está en las afueras del lago Tahoe. Es verano. Todos los hoteles estarán repletos. Es preferible que vayamos a Reno. Además, si nos alojamos en un hotel con casino será más barato.

—De acuerdo. —Hoteles. Anoche no tuve que pensar en eso.

El centro de Reno está presidido por colores chillones y letreros luminosos. Cuando lo atravesamos, dejando atrás los grandes casinos cuyas marquesinas anuncian orquestas que gozaban de gran popularidad en la época dorada de Tricia, el paisaje adquiere un aspecto deprimente: dilapidados moteles que anuncian máquinas tragaperras y desayunos que incluyen un bistec por tres dólares con noventa y nueve centavos.

Elegimos uno de los moteles desangelados.

—¿Cuánto cuesta una habitación? —pregunta Ben.

El empleado con ojos vidriosos detrás del mostrador me recuerda al señor Purdue.

—Sesenta dólares. Tienen que dejar la habitación libre a las once.

—Le daré ochenta dólares por dos habitaciones y saldremos a las nueve.

Deposito los billetes de veinte dólares en el mostrador. El tipo me mira el pecho. Ben arruga el ceño. El tipo estruja los billetes entre sus dedos como patas de araña y nos entrega dos llaves.

Ben saca su billetera para darme dinero, pero yo lo rechazo con un ademán.

—Pago yo —digo.

Regresamos al coche en silencio; aún se oye el zumbido del motor debido al largo trecho que hemos recorrido hoy. Mañana será aún más largo. Cojo mi bolsa y señalo mi habitación, la de Ben está justo en el otro extremo del motel.

—Nos reuniremos mañana a las nueve junto al coche.

—Mañana es lunes —observa él—. Quizá convenga que salgamos más temprano. Por si tu padre se va a trabajar. Para que no pierdas el día.

No se me había ocurrido. He perdido la noción del tiempo. Hace dos días que partimos.

—¿A las ocho? —sugiero.

—A las siete. Truckee está a media hora en coche.

—De acuerdo. A las siete.

Nos quedamos mirándonos unos instantes. A nuestras espaldas se oye el chirrido de los frenos de una camioneta, que se detiene en el aparcamiento del motel.

—Buenas noches, Cody —dice.

—Buenas noches.

Cuando entro en la habitación, se me ocurre darme un baño, pero cuando veo la cochambrosa bañera decido darme una ducha, dejando que el débil chorro de agua me empape. Al cabo de unos minutos salgo, me seco con unas toallas de papel y echo un vistazo a la estancia.

La muerte es el último rito de pasaje, y puede ser el más sagrado. A veces, para que sea personal, tiene que ser anónimo. Este fue el consejo que encontré en los archivos encriptados de Meg. ¿Lo escribió Bradford? Es el tipo de cosas que él dice. Miro a mi alrededor. Esta habitación es como la habitación en la que mi amiga se quitó la vida.

Imagino la escena: cuelga el letrero de «NO MOLESTAR» en la puerta. La cierra con llave. Deja la nota y la propina para la camarera. Entra en el baño para mezclar el compuesto químico, conecta el ventilador para no alertar a los otros huéspedes con los gases.

Me siento en la cama. Imagino a Meg esperando a que el veneno surta efecto. ¿Se tumbó enseguida, o esperó a sentir que comenzaba el hormigueo? ¿Vomitó? ¿Estaba asustada? ¿Aliviada? ¿Hubo un momento en que comprendió que ya no podía dar marcha atrás?

Me tumbo sobre la áspera colcha e imagino los últimos minutos de Meg. La sensación abrasadora, el hormigueo, el entumecimiento. Oigo la voz de Bradford susurrándole palabras de ánimo. *Nacemos solos, morimos solos.* Empiezo a ver unas manchitas negras; empiezo a sentir que está sucediendo. Que está sucediendo realmente.

¡Pero yo no quiero que suceda! Me incorporo rápidamente en la cama. Me llevo la mano al corazón, que late con furia como protestando por mis pensamientos. *No está sucediendo,* me digo. *No has bebido veneno. Tú jamás beberías veneno.*

Tomo mi teléfono móvil con manos trémulas. Ben responde al primer tono.

—¿Estás bien? —pregunta.

En cuanto me lo pregunta, me tranquilizo. Si no bien, al menos estoy mejor. El pánico remite. No soy Meg, que ha decidido coger ese último autobús mientras una voz anónima le susurra al oído. Estoy viva. Y no estoy sola.

—¿Estás bien? —repite Ben. Es una voz real. Sólida. Si yo necesitara que estuviera aquí conmigo, lo estaría.

—Sí —respondo.

Ben guarda silencio y yo sigo sentada en la cama, escuchando el sonido de su respiración. Ambos permanecemos así un rato, hasta que me calmo lo suficiente para poder conciliar el sueño.

35

Me reúno con Ben a las siete junto al coche, con una caja de dónuts y dos cafés.

—Parecemos policías.

—Hemos emprendido una especie de misión de vigilancia.

Ben me muestra un trozo de papel.

—He echado gasolina. Y he averiguado cómo llegar a casa de tu padre en Truckee.

Mi padre. La casa de mi padre. Es un concepto que me resulta extraño. Como si viajáramos hacia la luna.

—Gracias.

Me alarga el papel y yo vacilo unos segundos. Harry me había dicho que mi padre se había mudado de domicilio en seis ocasiones durante los diez últimos años. Eso me dio mala espina, aunque no sabía si era porque temía no dar con él, o por lo que pudiera descubrir.

Tomo el papel de manos de Ben.

—¿Quieres conducir tú? —me pregunta.

Niego con la cabeza. Estoy demasiado nerviosa.

Él parece darse cuenta porque cuando arrancamos se pone a hablar hasta por los codos, explicándome lo que sentía al crecer en una meca del *snowboarding* como Bend, pero sin disponer del dinero necesario para disfrutar de ese deporte, de modo que él y sus hermanos cometían todo tipo de locuras, como modificar sus monopatines y deslizarse sobre ellos por las montañas nevadas.

—Un día mi hermano mayor, Jamie, se rompió el codo.

—Caray.

—Bend se parece mucho a Truckee. Son pueblos de provincianos amantes de la vida al aire libre.

Yo asiento con la cabeza.

—Vamos a salir de la autopista. Dime por dónde debo ir.

Al cabo de unos minutos nos detenemos frente a una dilapidada casa de madera de secoya. El jardín está lleno de trastos: un cortacésped oxidado, unos juguetes infantiles de plástico, un sofá al que se le salen las tripas.

—¿Aquí vive tu padre?

—Estas con las señas que me dio Harry.

—¿Quieres entrar?

Miro el descuidado jardín. Esta no es la bonita casa del amable hombre con una bonita familia que me había imaginado. Quizá la información que me ha dado Harry esté obsoleta.

—O podemos esperar —sugiere Ben—. Para ver quién sale de la casa.

Sí. Eso. Asiento con la cabeza.

Aparcamos el coche al otro lado de la calle. Ben se bebe el café y se come unos seis dónuts. Yo observo la casa mientras empieza a despertarse. Se encienden unas luces. Se levantan unas persianas. Por fin, al cabo de aproximadamente una hora, la puerta principal se abre y sale una chica. Es más joven que yo, de unos catorce años, y empieza a retirar los trastos del jardín con gesto malhumorado. Al cabo de un rato la puerta se abre de nuevo y aparece un niño pequeño vestido con una camiseta y un pañal. La joven lo toma en brazos. Yo los observo, confundida. ¿Esa chica es hija de mi padre? ¿El niño también? ¿O el niño es hijo de ella? ¿O nos hemos equivocado de casa?

—¿Quieres que llame a la puerta? —pregunta Ben.

—¿Por quién te harás pasar?

—No sé. Un viajante.

—¿Y qué vendes?

—Lo que sea. Televisión por cable. Maquillaje. A Dios.

—Tienes que ir mejor vestido para vender al Todopoderoso.

Mientras pensamos en lo que vamos a hacer, oímos un murmullo que se va intensificando hasta que suena como una explosión, el inconfundible sonido de una Harley-Davidson. Cuando la moto se aproxima, Ben y yo nos hundimos en nuestros asientos. La moto pasa de largo y enfila el sendero de acceso a la casa, acelerando el motor un par de veces, haciendo que el niño grite asustado. La chica toma al pequeño en brazos e increpa al motorista a voz en cuello. Este apaga el ruidoso motor y se quita el casco. Está de espaldas a nosotros, de modo que no le veo la cara, pero veo el odio reflejado en el rostro de la chica. La puerta de la casa se abre de golpe y sale una mujer morena, con el pelo corto, sosteniendo un cigarrillo en una mano y un vasito con boquilla para bebés en la otra. Después de aplastar el cigarrillo, toma al niño en brazos y se pone a discutir con el tipo montado en la motocicleta.

Yo contemplo la escena como si fuera una película. El hombre de la Harley y la mujer siguen discutiendo. Ella le entrega al bebé, que se pone a berrear, y él se lo da a la chica. La mujer dice algo, y él descarga un golpe con la palma de la mano junto al asiento de su motocicleta. Luego se vuelve, mirando directamente hacia mí, pero no me ve. Sin embargo, yo sí le veo. Veo su pelo, castaño como el mío, y sus ojos, almendrados, de un color avellana grisáceo, como los míos, y su tez, aceitunada, como la mía.

Igual que la mía.

La mujer y él siguen vociferando. La joven adolescente deposita al niño en el suelo y se va, llorando. El pequeño se pone a berrear de nuevo. Su madre lo toma en brazos y entra en la casa, cerrando de un portazo, y al cabo de unos momentos el hombre la sigue, entra en el garaje y cierra dando otro portazo.

Ben me mira. Mira la casa. Vuelve a mirarme y menea la cabeza.

—¿Qué? —pregunto.

—Es curioso.

—¿El qué?

Él mira de nuevo la casa y luego a mí.

—Se parece a ti, pero podría ser mi padre.

Yo callo.

—¿Estás bien? —me pregunta al cabo de un rato.

Asiento con la cabeza.

—¿Quieres entrar? ¿O prefieres volver cuando todos se hayan calmado?

De pequeña, me gustaba imaginar que mi padre era un hombre de negocios, un piloto de avión, un dentista, alguien diferente. Pero no es diferente. Es exactamente como yo sabía que sería. No debería sorprenderme. Tricia lo llama el donante de esperma. Probablemente fue un ligue de una noche y yo el fruto accidental de esa noche. No existe un motivo de cuento de hadas por el que mi padre nunca vino a verme ni respondió a mi correo electrónico ni me envió siquiera una puñetera tarjeta postal para mi cumpleaños. Apuesto a que ni siquiera sabe cuándo es mi cumpleaños. ¿Por qué iba a saberlo? Eso significaría que yo le intereso.

—Vámonos —digo a Ben.

—¿Estás segura? Lo tienes aquí mismo.

—Vámonos —repito con tono áspero.

Él no dice nada más. Gira el coche y nos marchamos.

36

Cuando tomamos de nuevo la autopista, es como si alguien hubiera eliminado con un aspirador a la Cody que llevo dentro. Ben no deja de mirarme con gesto de preocupación, pero yo evito mirarlo a él. Formo una bola con mi jersey contra la ventanilla, apoyo la cabeza en él y, al cabo de un rato, me quedo dormida.

Cuando me despierto, unas horas más tarde, el aire fresco de las montañas de Sierra Nevada ha dado paso al aire caliente y seco del desierto de Nevada. Casi consigo olvidar el rodeo que hemos dado.

Estoy mareada debido al calor, siento un sabor metálico en la boca y los restos de la costra de lo que sospecho que era baba sobre mis labios. Ben me observa, y aunque me complacía verlo dormir, me fastidia que él me observe a mí cuando duermo porque hace que me sienta vulnerable.

—¿Dónde diablos estamos?

—Literalmente, en tierra de nadie. Hace un rato pasamos una población llamada Hawthorne, pero aparte de eso, nada. No he visto ningún coche en la carretera. Lo positivo de la situación, es que aquí puedes correr tanto como quieras.

Miro el salpicadero. Ben conduce a ciento cuarenta y cinco kilómetros. Ante nosotros se extiende la carretera recta y desierta, rielando debido a los espejismos, pequeños oasis de agua en el desierto que en realidad no existen. Tan pronto como alcanzamos uno desaparece engullido por el asfalto y aparece otro en el horizonte.

—A este ritmo, llegaremos a Las Vegas a las cinco y a Laughlin a las siete —dice Ben.

—Ya.

—¿Estás bien?

—¿Por qué me preguntas eso continuamente? —Tomo una botella de Dr. Pepper, que está tibia—. Esto es una porquería.

—Si ves un 7-Eleven, grita. —Ben parece molesto, pero luego me mira y suaviza el gesto. Se dispone a decir algo, pero cambia de opinión y calla.

Yo suspiro.

—¿Qué?

—No eres tú; es él.

Aún me siento un tanto desnuda delante de él.

—¿Es el argumento que utilizas cuando rompes con una chica? —le espeto—. «¿No eres tú, soy yo?»

Ben se vuelve hacia mí y luego fija de nuevo la vista en la carretera.

—Quizá lo habría utilizado, de haberse dado el caso —responde fríamente—. Me refería a tu padre.

Callo. No quiero hablar de mi padre, o del hombre que vimos hace un rato, quienquiera que sea.

—Es un cabrón —continúa Ben—. Y es normal que te afecte.

Continúo guardando silencio.

—Puede que yo no sepa por lo que estás pasando, pero es lo que mi madre me decía siempre sobre mi padre. Que no era yo. Era él. Yo nunca la creí. Siempre pensé que lo decía para consolarme. Porque estaba convencido de que yo tenía la culpa. Pero al ver a ese mamón, y a ti, empiezo a replanteármelo todo.

—¿A qué te refieres?

Tiene los ojos clavados en la carretera, como si hiciera un esfuerzo por concentrarse en la autopista recta y lisa.

—Cuando tu padre es un cabronazo, incluso capaz de negar tu existencia, no es porque *tú* hicieras algo malo, sino que es *él* quien ha hecho algo malo. —Sus palabras brotan atropelladamente. Luego añade—: Quizá no sea de mi incumbencia, pero hace quinientos kilómetros que tenía ganas de decirte esto.

Me vuelvo hacia él. Me pregunto de nuevo cómo es posible que sintamos tantas cosas parecidas y al mismo tiempo seamos tan distintos.

—¿Creías que el problema con tu padre era culpa tuya? —pregunto.

Ben no responde, sino que se limita a asentir con la cabeza.

—¿Por qué?

Suspira antes de responder.

—Era un niño muy sensible. Un llorica. Siempre corría a refugiarme en mi madre. Mi padre se sulfuraba. Me decía que tenía que ser más fuerte. Yo lo intentaba. Trataba de comportarme como un hombrecito. Ser como él. —Ben tuerce el gesto—. Pero él seguía detestándome.

No sé qué decir. De modo que le digo que lo siento.

Ben suelta el volante un segundo y alza las manos, como diciendo «¿qué le vamos a hacer?»

Resisto la tentación de acariciarle la mejilla. No puedo imaginarme lo que debió sufrir al tener un padre cuyo concepto de la virilidad era tal como lo ha descrito Ben. Pasarte la vida tratando de emularlo y al mismo tiempo huir de él. Pienso en Tricia. En sus frecuentes ausencias, en su interminable serie de ligues que le duran tres meses. En su negativa a ponerme en contacto con mi padre. En que básicamente ha abdicado de sus deberes, dejando que los García me hicieran de padres. Siempre se lo he reprochado en mi fuero interno, pero ahora pienso que quizá debería darle las gracias.

El tráfico se hace más denso cuando nos aproximamos a Las Vegas y, de golpe, nos encontramos en una gigantesca ciudad que hace que nos sintamos extraños, desorientados; al cabo de una hora nos hallamos de nuevo donde Sansón perdió el flequillo, y una hora más tarde, llegamos a Laughlin.

Laughlin es un extraño híbrido: en parte, es una población perdida en el desierto, pero en su centro han construido unos imponentes rascacielos que albergan costosos hoteles, los cuales se alzan a orillas del río Colorado. Circulamos a través del deprimente centro hasta llegar a una zona más modesta, donde se ubican los moteles con casinos, y nos detenemos frente al Wagon Wheel Sleep Slots, que anuncia habitaciones por cuarenta dólares la noche.

Entramos y pulsamos el timbre. Aparece una mujer peinada con trenzas que nos pregunta amablemente en qué puede ayudarnos.

—¿Tiene dos habitaciones? —pregunta Ben.

El dinero se agota a más velocidad de lo que yo imaginaba. Pienso en el ataque de pánico que me provocó la habitación del motel de anoche, en la reconfortante voz de Ben al otro lado del hilo telefónico. En lo que me dijo hace un rato en el coche.

—Una habitación con dos camas —digo.

Pago por la habitación y sacamos las cosas del coche. Cuando partimos estaba limpio y ordenado, pero ahora está lleno de desperdicios del viaje. Trato de adecentarlo un poco mientras Ben transporta nuestras bolsas a la habitación.

Cuando llego arriba, veo que está examinando unos papeles.

—Tienen menús para llevar. ¿Quieres salir a comer algo? ¿O pedimos una pizza?

Recuerdo la tarde que pasamos juntos, hace unos meses: burritos, televisión, el sofá.

—Pidamos una pizza.

—¿*Pepperoni*? ¿Salchicha? ¿Ambas cosas?

Yo me río.

—Una cosa o la otra.

Ben toma la carta, y al cabo de media hora nos traen una pizza, pan de ajo y unas botellas de Pepsi y Dr. Pepper. Lo disponemos todo sobre una toalla en una de las camas y nos sentamos con las piernas cruzadas, al estilo oriental, para disfrutar del picnic.

—Dios, qué alivio estar fuera del coche —observo.

—Sí. A veces, después de una gira, el culo me vibra durante varios días.

—Lástima que en este motel no tengan esas camas que vibran; podrías seguir experimentado la magia.

—Nunca he visto una de esas camas —dice Ben.

—Yo tampoco. En realidad, me he alojado en pocos moteles.

La verdad es que puedo contar con los dedos de una mano las noches que he dormido en un hotel o un motel. A Tricia no le gusta irse de vacaciones. La mayoría de viajes que he hecho ha sido con los García, y por lo general íbamos a cámpines o a casas de parientes de ellos.

—¿Así que no has tenido muchas oportunidades de compartir la habitación de un motel con un chico? —me pregunta Ben con tono desenfadado mientras devora la corteza de su porción de pizza.

—Ninguna.

—¿Nunca has compartido una habitación con un tío? —pregunta con insólita timidez.

—Nunca he compartido *nada* con un tío.

Ben levanta la vista de su porción de pizza y me mira, como tratando de descifrar a qué me refiero exactamente. Yo sostengo su mirada, dejando que mi expresión responda a la pregunta. Sus ojos, de un azul delicado, como la piscina desierta que hay fuera, muestran estupor.

—¿Nada en absoluto?

—Nada.

—¿Ni siquiera… una pizza?

—He comido pizzas con tíos. Pero nunca he *compartido* una. Hay una gran diferencia.

—¿Ah, sí?

Yo asiento con la cabeza.

—Bueno, ¿y qué sensación te produce?

—¿A qué te refieres?

Me mira.

—¿Tú qué crees? —respondo.

Ben arruga el ceño, un breve gesto de confusión, como si no estuviera seguro de que los dos nos referimos a la pizza. Mira los restos de esta.

—Creo que tú has comido dos porciones y yo cuatro y que a ti no te gusta el *pepperoni* tanto como a mí.

Yo asiento, contemplando el grasiento montón de *pepperoni* que he apartado.

—Y todo esto sucede en la habitación de un motel en la que estamos los dos —continúa Ben.

Asiento de nuevo con la cabeza. Durante un momento recuerdo el juramento que hice de no dormir jamás bajo el mismo techo que él. Quizás él también lo recuerde. Es evidente que esta noche lo he roto, aunque la verdad es que, en espíritu, lo rompí hace tiempo. Pero nada de eso importa ya.

—¿Qué crees que significa? —pregunta Ben tratando de asumir un tono despreocupado, pero está pendiente de mi respuesta, y se le ve muy joven.

—Significa que la comparto contigo. —Es lo único que estoy dispuesta a darle, aunque lo cierto es que para mí es mucho. Entonces recuerdo algo que dije ayer, cuando trataba de convencerle de que descabezara un sueñecito en el coche: *Podemos crear un nuevo código.*

Quizá sea eso lo que estamos haciendo aquí.

37

A la mañana siguiente me despierto en una habitación oscura; unos rayos de sol matutino penetran a través de las persianas. El reloj indica que son las diez y media. Me quedé frita alrededor de la medianoche.

Ben sigue durmiendo en la otra cama; tiene un aspecto encantador, acurrucado alrededor de una de las almohadas. Me tomo un minuto para desperezarme, dejando que mis músculos se desentumezcan después de haber pasado veinticuatro horas dentro del coche.

—Hola —me dice, con voz pastosa debido al sueño—. ¿Qué hora es?

—Las diez y media.

—¿Estás preparada para lo de hoy?

La caja de la pizza está aún sobre la cómoda. Me parece increíble que anoche —en otra habitación que Bradford podría haberme recomendado, a pocos pasos de donde vive— yo pudiera olvidar el motivo por el que he venido aquí. Pero ahora es imposible olvidarlo. O negarlo. Siento calor y frío y ganas de vomitar. No estoy preparada. Nunca estaré preparada.

—Sí —respondo.

Él me mira unos minutos. Me observa mientras se quita el parche de nicotina y se coloca otro.

—No tienes que hacerlo —dice—. Si decides que demos la vuelta y regresemos a casa, me parecerá perfecto.

Es muy amable de su parte decir eso. Pero ya hemos abortado una misión. Esa no tenía importancia. Pero esta sí. Meneo la cabeza en sentido negativo.

Él se enfunda una camiseta.

—¿Cuál es el plan de ataque?

—He pensado que podemos vigilar su casa durante todo el día, como hicimos con... —No termino la frase. Ben entiende a qué me refiero.

—Pero dijiste que ese tipo trabaja en uno de los casinos —contesta—. No tienen turnos regulares. Quizá trabaje el turno de noche.

No se me había ocurrido.

—Será una larga vigilancia.

Ben me mira unos momentos.

—¿Cómo se llama el casino donde trabaja?

—El Continental. —Ayer pasamos en coche frente a él. Pese al calor vespertino, me estremecí al pensar que estaba tan cerca de él. Si me causó un efecto tan potente *online*, con tantos kilómetros e identidades falsas entre nosotros, ¿qué impresión me causará en persona?

Ben abre la guía telefónica y la hojea.

—¿Qué haces? —pregunto,

Pero antes de contestarme, empieza a marcar. Cuando alguien atiende la llamada, Ben se pone a hablar con un acento de paleto.

—Mi amigo Brad Smith trabaja aquí. No quiero molestarlo, pero al salir de casa me he dejado las llaves dentro y él tiene unas de repuesto. ¿Podría decirme qué horario tiene hoy para poder pasarme a recogerlas?

Después de una breve pausa, su interlocutor le pide que espere. Ben me mira y guiña el ojo. La voz regresa al teléfono.

—Ah. Vale. Desde luego. ¿Sabe a qué hora libra? Podría pasarme para recoger las llaves que tiene de repuesto. —Otro silencio—. ¿A las cinco? Genial. Tendré que arreglármelas hasta entonces. Gracias. Lo haré. Usted también.

Ben cuelga.

—Termina de trabajar a las cinco.

—Las cinco —repito.

—De modo que suponiendo que vaya directamente a casa, llegará sobre las cinco y media o las seis.

—Eres un excelente detective —comento sonriendo.

Ben no me devuelve la sonrisa. Está serio.

—Propongo que nos acerquemos por su casa temprano para explorar el terreno, y luego pongas en marcha tu plan.

—¿Mi plan?

—Supongo que tendrás un plan.

—Por supuesto. —He dedicado las largas horas del viaje en coche a ensayar lo que le voy a decir. Como si fuera un guión en una obra de teatro. Debo seguir fingiendo. Fingir que soy Meg. Fingir que tengo tendencias suicidas. Fingir que soy lo bastante fuerte para hacer esto.

—Bien, esto nos da… —Ben consulta su reloj— seis horas.

Yo asiento con la cabeza. Seis horas.

—¿Qué quieres hacer entretanto?

Vomitar. Echar a correr. Esconderme.

—No lo sé. ¿Qué podemos hacer aquí?

—Podríamos sentarnos junto a la piscina, pero anoche metí la mano en ella y el agua está caliente como la orina.

—Lástima que no me haya traído el bañador.

—Podríamos ir a uno de esos bufés que por un dólar y noventa y nueve centavos puedes comer tanto como quieras.

—Y tú podrías atiborrarte.

—Mataría por un café helado. Debemos de estar a cuatrocientos grados de temperatura. Es increíble que no tengan ninguna bebida helada aparte de cerveza. Podemos desayunar en un casino y luego jugarnos unos dólares.

—Ya me juego mucho con este viaje; además, no me sobra dinero. Lo que más me apetece es relajarme. Ir a un cine o algo así.

—Decidido. Iremos a un bufé y luego al cine. —Ben se detiene, sonrojándose un poco—. Suena como si fuera una cita, pero en realidad no...

—Vale, Ben, ya lo sé —respondo.

No encontramos café helado en ninguna parte, pero sí un bufé, en el que Ben devora una cantidad espectacular de huevos, beicon, salchichas y demás, como si hiciera acopio de productos cárnicos para afrontar la dieta vegana que le espera en casa. Yo, con grandes esfuerzos, logro comerme medio gofre. Después nos metemos en un Cineplex y vemos una de esas absurdas películas sobre máquinas que se convierten en seres humanos. Es la tercera o cuarta entrega de una serie que yo no había visto, ni ganas. Ben y yo criticamos el ridículo guión y compartimos un cubo de palomitas, y durante unos minutos me olvido de lo que voy a hacer hoy. Cuando salimos del cine son casi las tres.

Regreso al motel para cambiarme. No sé por qué, pero he traído uno de mis mejores conjuntos, consistente en una falda y un *top* que me puse para asistir a una de las numerosas honras fúnebres por Meg. Ben y yo pagamos por otra noche en el Wagon Wheel, tras decidir que, en lugar de partir esta noche, nos levantaremos al amanecer y haremos el viaje de regreso a casa de un tirón, turnándonos al volante, como las bandas musicales cuando van de gira.

En recepción nos indican cómo llegar al bloque de apartamentos donde vive Bradford. No está lejos de aquí, aproximadamente a un kilómetro.

—Iremos caminando —digo. Disponemos de tiempo, y estoy demasiado nerviosa para esperar sentada en el coche. De modo que echamos a andar por las polvorientas calles hasta que llegamos a un edificio de estuco blanqueado por el sol, rodeado de hierbajos, con una piscina de cemento llena de grietas.

Hemos llegado temprano. Sólo son las cinco.

—No deberíamos quedarnos aquí —digo. De modo que damos la vuelta y nos dirigimos hacia una tienda de bebidas alcohólicas situada a pocas manzanas.

—¿A qué hora quieres que vayamos allí? —pregunta Ben.

—Iré sobre las cinco y media.

—¿Y a qué hora quieres que aparezca yo?

—Creo que debo hacer esto sola.

Ben me mira achicando los ojos.

—Pues yo creo que no.

—Te lo agradezco, pero quiero hablar con él a solas.

—¿Quieres que me oculte entre los matorrales? —me pregunta. No parece gustarle esta opción.

—Bradford es desconfiado. Si sospecha que he venido con alguien, se negará a hablar conmigo. —No es que no me dé miedo Bradford; por supuesto que me lo da. Pero es preciso que hable con él a solas—. Quiero que me esperes aquí.

—¿Aquí? —pregunta Ben, sin dar crédito.

—Aquí —repito en tono implorante.

—De modo que he venido sólo de acompañante.

—Sabes que no es así.

—Entonces, ¿por qué estoy aquí?

Porque te necesito. Esa es la verdad. Y es casi tan terrorífica como lo que me espera dentro de un rato. Pero me abstengo de decírselo a Ben.

—Porque tú también estás involucrado en esto.

Reculo.

—¿De modo que es eso? —La voz de Ben suena dura, seca, airada, como el día en que vino a por su camiseta—. En tal caso, no dejaré que vayas a ver a ese tío. Ya tengo la muerte de Meg en mi conciencia. No estoy dispuesto a añadir la tuya.

—No me matará.

—¿Ah, no? Ha matado a Meg. ¿No es lo que dices siempre?

—Sí, pero no es lo mismo. No va a atacarme con un cuchillo ni nada por el estilo.

—¿Y tú qué sabes? ¿Cómo sabes que no tiene un arsenal de escopetas? ¿Cómo sabes que su participación en esa mierda de foro de apoyo al suicidio no es un proyecto paralelo? ¿Cómo sabes que no tiene una docena de cadáveres enterrados en su jardín?

Porque Bradford Smith utiliza un arma muy distinta, dejando que seas tú mismo el que haga el trabajo sucio.

—Lo sé y punto —contesto bajito.

—¿Sabes qué te digo, Cody? No tienes ni puta idea.

¿No tengo ni puta idea? Miro a Ben y pienso: *¿Quién diablos crees que eres? Yo también sé de dónde vienes. Nos arrastramos en la misma mierda, Ben McCallister.* Estoy furiosa. Pero eso es bueno. Más vale estar furiosa que asustada.

—Espérame aquí —digo.

—Ni hablar. ¿Quieres imitar a tu amiga y caer en una trampa? Te lo advierto: no lo hagas. Ese tipo es peligroso, y la idea de ir a verlo es una temeridad. No pude advertir a Meg que no lo hiciera, pero a ti sí. Esa es la diferencia entre tú y yo. Yo aprendo de mis errores.

—La diferencia entre tú y yo llenaría un libro, Ben. —Me asombra que esas palabras suenen tan bien y al mismo tiempo tan falsas.

Me mira por última vez, sacude la cabeza y se marcha.

No hay tiempo para analizar la deserción de Ben, que creo que preveía desde que partimos. Todo queda entre Bradford y yo. Como debe ser.

Vive en la Unidad J de un anodino bloque de apartamentos. Una puerta blanca. Unas persianas Levolor en las ventanas. No veo el interior. En la unidad de al lado, hay una pareja sentada en el patio, bebiendo cerveza. Ni siquiera me miran, pero me tranquiliza saber que están allí.

Llamo al timbre.

El hombre que abre la puerta tiene el pelo blanco y barba. Lleva un *short* y una holgada camisa con estampado hawaiano que le cuelga sobre la barriga. En la mano sostiene un vaso helado, lleno hasta el borde, en el que el hielo aún no se ha fundido. No sé si me siento aliviada o decepcionada. Porque este hombre no puede ser él. Parece una versión cutre de Papá Noel.

Pero entonces me pregunta:

—¿En qué puedo ayudarte?

Y reconozco la voz: suave, cauta, familiar.

Tardo un segundo en reaccionar.

—Busco a Bradford Smith.

Observo algo —suspicacia, estrategia— que se trasluce en su rostro.

—¿Qué has venido a hacer aquí?

¿Qué he venido a hacer aquí? Yo tenía una historia que contarle, un medio para poder entrar en su casa. Pero se desvanece de mi mente, y no se me ocurre qué decir, excepto la verdad. Siempre ha tenido ese efecto sobre mí, esta persona a la que he mentido.

—He venido a verte a ti.

Él me mira achicando los ojos.

—Lo siento, pero ¿nos conocemos?

El corazón me late con tal furia y velocidad que estoy convencida de que debe de percibirlo a través de mi blusa.

—Me llamo Cody. —Hago una pausa—. Pero seguramente me conoces por Repeat.

Él no responde.

—¿Necesito *repetir* mi nombre?

—No —contesta él con calma—. Lo he entendido. No deberías estar aquí.

Empieza a cerrar la puerta. Y lo único que se me ocurre es: *Yo te invité a que me ayudaras a morir, y ahora me cierras la puerta en las narices.* Esto espolea mi furia. Mejor. Ahora la necesito.

Introduzco el pie de forma que no puede cerrar la puerta.

—Por supuesto que debo estar aquí. Porque también conozco a una persona llamada Meg García. Tú la conoces como Luciérnaga. ¿Sabías que su verdadero nombre era Meg? ¿Que tenía una amiga íntima llamada Cody? ¿Una madre? ¿Un padre? ¿Un hermano?

Empiezo a recordar el discurso que he ensayado durante el largo trayecto hasta aquí.

Ahora que le he enseñado mis cartas, supongo que me cerrará la puerta en las narices, pero en lugar de ello sale fuera. Uno de los vecinos que está bebiéndose unas cervezas arroja una botella vacía a un cubo de basura, donde se hace añicos. Bradford observa a sus vecinos con los labios fruncidos. Luego me mira y abre la puerta sin girarse.

—Será mejor que entres.

Durante medio segundo pienso en Ben, en el arsenal de escopetas, en los cadáveres enterrados. Pero entro en el apartamento.

Es austero, y está más aseado que cualquiera de las casas que limpio *después* de haberlas limpiado. Las piernas apenas me sostienen, y si me siento, él se dará cuenta de que me tiemblan las rodillas, pero si me quedo de pie, quizá caiga redonda al suelo. Al fin decido apoyarme contra el sofá tapizado en un tejido a cuadros escoceses.

—¿La conocías? —pregunta.

La expresión de su rostro me choca. No es en absoluto siniestra, sino que muestra curiosidad. Entonces comprendo que no conoce los detalles morbosos, y desea conocerlos. Yo no respondo. Me niego a darle esa satisfacción.

—De modo que lo hizo —dice. Por supuesto, ahora ya lo sabe. El hecho de que yo esté aquí lo confirma. En cualquier caso, no tengo reparos en darle esa satisfacción.

—Gracias a ti. Tú la mataste.

—¿Cómo pude haberla matado? —pregunta—. No la conocía. Ni siquiera conocía su nombre hasta ahora.

—Quizá no la mataras con tus manos, pero lo hiciste... Lo hiciste de una forma cobarde. ¿Qué fue lo que le dijiste? «Lo contrario de la valentía no es la cobardía, sino la conformidad...» —Dibujo unas comillas en el aire con los dedos. Esta parte también la he planeado—. ¡Yo creo que lo contrario de la valentía eres tú!

Al decir eso me siento muy valiente. No hay señal de la cobardica que soy en realidad, a punto de desplomarme sobre mis piernas de gelatina.

Él tuerce el gesto, como si sintiera un sabor desagradable. Pero enseguida recobra la compostura y esboza una sonrisa casi benévola. Oigo un agudo gemido en mis oídos al tiempo que empiezo a sudar en unas partes de mi cuerpo donde no suelo sudar.

Él me mira, deslizando el pulgar sobre sus dedos. Lleva las uñas cortas y bien arregladas, mucho más que las mías, que están destrozadas de fregar lavabos y retretes.

—Has perdido a tu media naranja —dice—. Eso fue lo que escribiste. Meg. Tu «media naranja». Y tratas de redimirte porque ella no compartió su decisión contigo.

Me tiene calada. Siempre me ha tenido calada. Incluso cuando nos comunicábamos a través del foro, me veía venir de lejos. De pronto me doy cuenta de la locura de mi plan, de mi intento por «atraparlo», y mis piernas ceden por fin. Me dejo caer en el sofá.

—Que te den —digo, porque el guión que había ideado resulta inútil ya.

Bradford continúa con voz casi melosa:

—Pero quizá no quisiste decir que era tu media naranja. Quizás era tu *otro yo.* —Bebe un sorbo de su bebida—. A veces conocemos a personas con las que nos sentimos tan simbióticos que es como si fuéramos una sola persona, con una mente, un destino.

Me habla como lo haría en el foro, de forma sibilina, por lo que tardo un minuto en comprender lo que sugiere.

—¿Insinúas que deseo morir, como Meg?

—Me limito a repetir tus palabras.

—¡No! Pones palabras en mi boca. *Tú* deseas que yo muera. Como deseabas que muriera Meg.

—¿Cómo «deseaba» que muriera Meg? —pregunta, trazando también unas comillas en el aire.

—Veamos: le explicaste cómo conseguir el veneno. Cómo escribir la nota de suicidio. Cómo ocultárselo a su familia. Cómo alertar a la policía. Cómo borrar los correos electrónicos que podían incriminarte. Le dijiste que no tomara antidepresivos. Le dijiste que no debía seguir viviendo.

—No le dije nada de eso.

—¡Le dijiste *todo* eso! ¡Me lo dijiste a *mí*!

Él me mira fijamente.

—Cody. Te llamas Cody, ¿no? ¿Qué fue lo que te dije *exactamente*?

La cabeza me da vueltas mientras trato de recordar los pormenores, pero sólo recuerdo una serie de estúpidas citas.

—Ahora lo recuerdo... El planeta sin sol. Eso lo dijiste tú, ¿no? —pregunta.

Sí. Lo dije yo.

Él se sienta y se pone cómodo, como si se dispusiera a ver una de sus películas favoritas.

—Me pareció una forma muy interesante de expresarlo. ¿Desearías seguir viviendo aquí si el sol se apagara? Pero, Cody, ¿sabes lo que ocurriría realmente si el sol muriera?

—No. —La palabra suena como un chillido. Como un ratón.

—Al cabo de una semana, la temperatura en la Tierra descendería a bajo cero. Al cabo de un año, descendería a cien grados bajo cero. Capas de hielo cubrirían los océanos. Las cosechas, como es natural, se perderían. El ganado moriría. Las personas que no hubieran muerto de frío morirían de hambre. Un planeta sin sol, que es como te definiste, ¿verdad? Este planeta ya está muerto. Aunque tú sigas viviendo por inercia.

Soy un planeta sin sol. Estoy fría y muerta. Es lo que él dice. De modo que debería hacerlo oficial.

Pero, entonces, ¿por qué siento un calor que circula por mi cuerpo, como un circuito? Calor. Lo opuesto a frío. Lo opuesto a muerte.

La puerta se abre. Y aparece un chaval —acné, mochila, gesto ceñudo— adolescente. Lo primero que pienso es que Bradford atrae a personas para que vengan aquí, y el chico es otra víctima de All_BS. Pero esta vez yo también estoy aquí, y puedo salvarlo. No es demasiado tarde.

Pero entonces Bradford pregunta:

—¿Qué haces aquí?

Y el chico responde:

—Mamá dice que has vuelto a confundir las fechas. Está cabreada. —Al verme, me mira con gesto interrogante.

—Vete a tu habitación, hablaremos dentro de un momento —dice Bradford con tono brusco.

—¿Puedo utilizar tu ordenador?

Bradford asiente secamente. El chico desaparece por el pasillo. Mientras le observo marcharse, me doy cuenta de lo deprimente que es este lugar. La mesa con una pila de servilletas en el centro. Las reproducciones de cuadros que cuelgan en la pared. La estantería desportillada. No contiene tomos filosóficos, sino libros de bolsillo adquiridos en el supermercado, como los que hay en la sala de descanso para empleados en el bar donde trabaja Tricia. Hay un grueso libro de consulta titulado *Bartlett's Familiar Quotations*, colocado de costado, de forma que veo las notas que contiene. ¿Es de ahí de donde saca All_BS sus citas?

Oigo el sonido del ordenador al encenderse, y de pronto es como si se activara un resorte en mi cerebro.

Un apartamento cutre, una trabajo de mierda, una población deprimente. La vida de Bradford se parece mucho a la mía. Excepto que cada noche él enciende su ordenador y juega a ser Dios.

—Debes irte —dice. El tono sereno, desafiante, ha desaparecido. Su voz asume de nuevo un timbre gélido, como el día en que hablaba conmigo por teléfono y alguien le interrumpió.

En el pasillo se oye la voz de su hijo —que debe de tener trece o catorce años, no muchos menos que yo— pidiéndole que le prepare un sándwich.

Bradford le promete con tono brusco un sándwich de pavo y queso suizo. Luego me mira.

—Debes irte —repite.

—¿Qué harías si alguien le hiciera a él lo que tú le hiciste a Meg? —le pregunto. Durante un segundo me lo imagino. Su hijo, aficionado a los sándwiches de pavo, muerto. Bradford llorando su muerte como los García han llorado la muerte de Meg.

Se levanta, y me consta que ha vislumbrado el escenario que acabo de imaginar. Cuando se acerca a mí, con la vena del cuello hinchada, sé que debería sentir miedo. Pero no es así.

Porque no quiero que su hijo muera. No serviría de nada. Sería sólo otro joven que muere. Y de alguna forma este pensamiento me da fuerzas para levantarme, pasar junto a él y marcharme.

Conservo la calma mientras salgo del apartamento, echo a andar por el sendero de grava y paso junto a los vecinos bebedores de cerveza, que han puesto música *rock* a todo volumen. Todo va bien hasta que me vuelvo para contemplar el bloque de apartamentos e imagino al hombre que indujo a Meg a morir —un monstruo, un padre— preparando un sándwich de pavo para su hijo.

Un sollozo que brota de lo más hondo me atenaza la garganta, un sollozo que lleva días, semanas o meses o quizá más tiempo enconándose en mi interior. No puedo reprimirlo, y no quiero estar junto a Ben cuando estalle. El peligro reside ahí.

De modo que echo a correr.

Atravieso las polvorientas calles a la carrera, levantando nubes de arena que se me mete en la nariz. Alguien se dirige hacia mí. Al principio pienso que es un espejismo; últimamente he visto muchos.

Pero cuando me aproximo, la figura no se desvanece, sino que al verme llorar echa a correr hacia mí.

—¿Qué ha pasado? —repite una y otra vez; sus ojos reflejan no sólo preocupación, sino temor—. ¿Te ha hecho daño?

Aun suponiendo yo que pudiera articular palabra, no sabría qué decir. Ese tipo era un monstruo y era una persona. Mató a Meg y ella se quitó la vida. He encontrado a Bradford, pero no he encontrado nada. La arena y el polvo y la flema y el dolor me asfixian. Ben no deja de preguntarme si ese tipo me ha lastimado, y yo deseo tranquilizarlo, decirle que no me ha hecho daño ni me ha tocado ni nada de eso. Pero sólo atino a balbucear:

—Tiene un hijo.

Trato de explicárselo. Un hijo adolescente. Un hijo al que protege, ama, incluso mientras convencía a Meg de que debía morir, mientras trataba de hacer lo mismo conmigo. Y no puedo articular palabra. Pero Ben estuvo ayer conmigo en Truckee. Y quizá por eso lo entiende. O quizá sea por eso que siempre nos hemos entendido.

—Joder, Cody —dice. Y entonces abre los brazos automáticamente, como si estuviera acostumbrado a abrazar a la gente. Y yo me arrojo en sus brazos automáticamente, como si estuviera acostumbrada a dejarme abrazar. Mientras me estrecha con fuerza, rompo a llorar. Lloro por Meg, que ha desaparecido para siempre de mi lado. Lloro por los García, que quizá desaparezcan también de mi lado. Lloro por el padre que nunca he tenido, y la madre que tengo. Lloro por Richard el Drogata y la familia en la que ha crecido. Lloro por Ben y la familia en la que no ha crecido. Y lloro por mí.

38

Cuando consigo tranquilizarme, nos encaminamos hacia uno de los senderos que discurren junto al río. Ha oscurecido, pero las lanchas motoras y los Jet Skis siguen deslizándose sobre las aguas. El poderoso Colorado parece más un acueducto asfaltado que un importante río. Como todo en este viaje, no es lo que yo esperaba. Comento a Ben que me parece increíble que este sea el gran Colorado.

—Sígueme —dice. Descendemos por una rampa para las embarcaciones hasta la orilla del agua—. Yo tenía un mapa enorme colgado sobre mi cama. —Ben se arrodilla junto al agua—. El Colorado comienza en las Montañas Rocosas, atraviesa el Gran Cañón y llega hasta el golfo de México. Puede que aquí no parezca gran cosa. —Se inclina y toma un puñado de agua—. Pero cuando sostienes el agua en la mano, es como si sostuvieras un trozo de las Rocosas, del Gran Cañón.

Se vuelve hacia mí sosteniendo el puñado de agua. Yo extiendo mis manos y él abre las suyas, y el agua del río, que proviene de lugares ignotos, que contiene historias fabulosas, pasa de sus manos a las mías.

—Siempre aciertas a decir lo adecuado para animarme —digo, tan bajito que pienso que los Jet Skis han sofocado mis palabras.

Pero Ben las ha oído.

—No pensabas eso cuando me conociste.

No. Se equivoca. Porque aunque lo odiaba, Ben McCallister siempre ha conseguido hacer que me sintiera mejor. Quizás era por eso que lo odiaba. Porque no quería sentirme mejor. Y menos con él.

—Lo siento —digo.

Él me toma las muñecas y yo sujeto las suyas, con las manos empapadas por el agua del misterioso río.

No le suelto y él tampoco a mí, y el agua del río permanece entre nosotros durante todo el trayecto hasta nuestro motel, donde, cuando entramos en nuestra habitación, excesivamente caldeada, empezamos a besarnos. Es un beso tan apasionado como el que nos dimos en su casa hace unos meses, pero al mismo tiempo es diferente. Es como si nos abriéramos a algo. Nos besamos. Mi camiseta cae al suelo. La de Ben, también. El roce de su piel desnuda contra la mía es increíble. Deseo más. Le quito los vaqueros. Me desabrocho la falda.

Ben deja de besarme.

—¿Estás segura? —pregunta. Sus ojos han cambiado de nuevo, adoptando ese azul intenso de los recién nacidos.

Estoy segura.

Nos tumbamos en la cama en un lío de brazos y piernas. Siento su cálido cuerpo contra el mío, duro, pero controlándose.

—¿Tienes un condón? —pregunto.

Él se inclina sobre mí y saca un sobrecito de aluminio de su billetera.

—¿Estás segura? —me pregunta de nuevo.

Yo le estrecho contra mí.

Cuando sucede, rompo a llorar.

—¿Quieres que pare? —me pregunta Ben.

No quiero que pare. Aunque me duele —más de lo que había imaginado—, no lloro por lo mucho que me *duele.* Lloro por lo mucho que *siento.*

39

Más tarde, Ben se queda dormido, encerrándome en la caverna de sus brazos. En la habitación debe de hacer treinta grados —el desvencijado aparato de aire acondicionado que tose en la ventana no puede con el brutal calor del desierto—, y él irradia un calor semejante a un horno. Pero aunque tengo calor y estoy pegajosa debido al sudor, no me muevo. No quiero moverme, y al cabo de un rato me quedo dormida. Me despierto varias veces durante la noche, y cada vez que lo hago, compruebo que sigo encerrada en sus brazos.

Pero cuando me despierto por la mañana, sus brazos ya no me rodean, y siento frío, aunque la habitación, cuyo ambiente no se ha refrescado durante la noche, empieza a caldearse de nuevo. Me incorporo en la cama. No hay señales de Ben, aunque sus cosas siguen colocadas en una ordenada pila en un rincón.

Me meto en la ducha. Siento dolor entre las piernas, debido a que he perdido hace poco rato la virginidad. A Meg le encantaba que yo pareciera dura y sexi, y que fuera virgen. Ya no lo soy. Si ella estuviera aquí, se lo contaría.

De pronto siento frío en la ducha, aunque no tiene nada que ver con la temperatura del agua. Porque comprendo que no podría contárselo. Porque lo he hecho con *él*. Con Ben. Y él fue su primer hombre, aunque sólo lo hicieran una vez.

Yo la follé. Eso fue lo que dijo Ben.

Pero en mi caso es distinto. Él y yo éramos amigos antes de hacerlo.

Recuerdo el resto de la conversación. *Antes de que todo se fuera a la mierda, éramos amigos.* Luego: *Cuando te follas a una amiga, todo se estropea.*

No. Esto es distinto. «Yo soy distinta», digo en voz alta en la ducha. Y casi suelto una carcajada. ¿Cuántas chicas se habrán contado ese cuento chino sobre Ben McCallister para sentirse mejor en la ducha a la mañana siguiente?

Veo una sucesión de rostros en mi imaginación: el de mi padre. La expresión de odio hacia él en el rostro de la joven adolescente. La mirada de furia de Bradford cuando le dije aquello sobre su hijo. Los distintos grados de odio que he visto en el rostro de Ben, que sin duda se reflejaban en el mío.

Pienso en uno de los primeros correos electrónicos que leí de él. El que precipitó todo esto.

Tienes que dejarme en paz.

A través de los tabiques de cartón, oigo el sonido de una puerta que se abre y se cierra. Cierro los grifos, avergonzada de estar en el cuarto de baño y haberme dejado la ropa en la habitación. Me envuelvo en tantas toallas como encuentro y me acerco de puntillas a mi bolsa.

—Hola —dice Ben. Por el rabillo del ojo observo que procura no mirarme.

—Hola —respondo, fijando la vista en mi ropa.

Él empieza a decir algo, pero le interrumpo.

—Espera un momento. Deja que me vista.

—Vale, de acuerdo.

En el baño, me enfundo mi *short* recortado, más cochambroso que de costumbre, y una camiseta, y me entretengo un rato en secarme el pelo con una toalla tratando de no pensar que, cuando entré en la habitación, Ben se abstuvo de mirarme.

Respiro hondo y abro la puerta. Él está preparando una bebida. Sin alzar la vista, empieza a hablar muy rápido.

—Fui en busca de café helado. Al parecer aquí hay Starbucks, pero están en los casinos, y no me apetecía entrar en uno. No he encontrado café helado en ninguna otra parte, ni siquiera en la cafetería. De modo que he traído café recién hecho, caliente, y unos cubitos de hielo, y espero que dé resultado.

Habla a toda velocidad, explicando no sé qué sobre el café helado con la cafeinada precisión que sólo he oído a Alice. Y sigue sin mirarme.

—He traído café con leche —continúa—. Por alguna razón, el café frío me gusta con leche. Me recuerda a un helado.

Tengo deseos de gritar *¡deja de hablar del café!* Pero no lo hago. Me limito a asentir con la cabeza.

—¿Quieres que vayamos a un bufé y comamos algo antes de irnos, o prefieres que pongamos cierta distancia entre los dos?

Ayer Ben dijo que la diferencia entre él y yo era que él había aprendido de sus errores. Tenía razón. Y yo soy una idiota.

—Prefiero poner cierta distancia —respondo.

Él levanta la vista un segundo, pero enseguida aparta los ojos, como si yo hubiera respondido lo indicado.

—De acuerdo. Como quieras.

Te deseo. Quiero tumbarme en la cama y sentir que me estrecha entre sus brazos. Pero sé que esto no funciona así. Cuando follas con el barman, se acabaron las copas gratis. Esto lo aprendí de Tricia. Lo aprendí de Meg. Lo aprendí del propio Ben. No puedo decir que no me revelara exactamente cómo era.

—De hecho, tengo que regresar a casa —le digo.

—Es lo que vamos a hacer —contesta, doblando una camiseta.

—Ahora.

Ben mira la colcha sobre la cama casi intacta en la que no dormimos anoche.

—Tenemos que echar gasolina y probablemente aceite —dice. Su voz suena más dura, con esa aspereza que contenía antes—. Si tienes tanta prisa, ocúpate tú de eso mientras yo recojo mis cosas.

—De acuerdo —digo. Sus brazos, la sensación de confort que me producían, parecen ahora muy lejos—. Nos reuniremos junto al coche.

Ben me arroja las llaves y las atrapo al vuelo. Luego quiere decir algo, pero no lo hace, de modo que tomo mis cosas y salgo apresuradamente. Mientras estoy echando gasolina al coche suena mi teléfono móvil. Ben. Esto es una estupidez. Los dos nos estamos comportando como unos estúpidos.

—¡Cody! ¿Dónde diablos estás? Supuse que regresarías a casa hace dos días.

No es él. Es Tricia. En cuanto oigo su voz, se me forma un nudo en la garganta.

—¿Qué ha ocurrido? —pregunta.

—¿Mamá? —digo.

—¿Dónde estás, Cody? —Percibo el temor en su voz. Porque nunca, jamás, la he llamado mamá.

—Tengo que volver a casa.

—¿Estás herida?

—No, pero tengo que volver a casa. Ahora mismo.

—¿Dónde estás?

—En Laughlin.

—¿Dónde diablos está eso?

—En Nevada. Por favor... Quiero volver a casa. —Estoy a punto de perder el control.

—De acuerdo, cielo, no llores. Yo lo resolveré. Laughlin, Nevada. No te preocupes, Cody. Yo lo resolveré. Deja tu móvil encendido.

No tengo ni idea de cómo lo va a resolver. Está tan tiesa como yo. No sabe utilizar un ordenador y seguramente ni siquiera sabe dónde está Nevada, y menos Laughlin. Pero de alguna forma, me siento mejor.

Cuando regreso, Ben me espera abajo, delante de nuestra habitación. Saco mis gafas de sol y me las pongo para ocultar mis ojos enrojecidos. Abro el maletero y él mete todos los bultos.

—Conduciré yo —digo.

Quizá no sea buena idea. Estoy nerviosa, pero si conduzco, al menos tendré algo en que concentrarme.

—De acuerdo —murmura él.

—Ya me avisarás cuando quieras que paremos para comer algo —digo con gesto serio.

Él asiente con la cabeza.

En el coche, Ben se centra en la música, pero el adaptador del iPod no funciona, de modo que sólo tenemos la radio y la música que ponen es una porquería. Por fin da con una emisora que transmite una canción de Guns N' Roses, «Sweet Child o' Mine». Esa canción me gustaba mucho, pero ahora, como todo, me produce un cráter en el estómago.

—A mi madre le encantaba esta canción —dice Ben.

Yo asiento con la cabeza.

—Escucha, Cody. —Suena exactamente como los «escucha, Cody» de los García.

Antes de que yo pueda responder, suena mi teléfono móvil. Cuando voy a cogerlo, se cae al suelo. Yo viro bruscamente.

—¡Cuidado! —grita Ben.

—¡Contesta! —le digo.

Ben recoge el teléfono del suelo.

—Hola —dice. Se vuelve hacia mí—. Es tu madre.

—Tricia —digo, tomando el móvil.

—No deberías conducir y hablar por teléfono al mismo tiempo —me amonesta Ben.

Yo pongo los ojos en blanco, pero me detengo en el arcén.

—¿Dónde estás en estos momentos? —Tricia no me pregunta quién ha respondido a la llamada ni por qué no estoy en Tacoma como le dije que estaría. No suele preocuparse por ese tipo de detalles.

—No lo sé. A unos treinta kilómetros fuera de Laughlin. En la autopista noventa y cinco.

—¿Has pasado ya Las Vegas?

—No. Faltan unos sesenta kilómetros.

La oigo suspirar de alivio.

—Perfecto. A la una y media sale un vuelo de Southwest, sin escalas, de Las Vegas a Spokane. ¿Crees que podrás llegar a tiempo para tomarlo?

—Creo que sí.

Oigo a Tricia decir algo y un barullo de voces al fondo.

—De acuerdo, te reservaré un billete en ese vuelo. Si lo pierdes, hay otro vuelo más tarde, pero hace escala en Portland, de modo que tendrás que cambiar de avión. —La escucho expresarse como si fuera una agente de viajes, como si hiciéramos esto continuamente, cuando de hecho no me he montado en un avión en mi vida.

—Llámame cuando estés en el avión para que sepa dónde ir a recogerte. Por lo visto, ya no te permiten acceder a la terminal de llegadas, de modo que me reuniré contigo en la sala de recogida de equipaje.

—De acuerdo —respondo. Como si todo eso tuviera algún sentido para mí.

—Te enviaré un mensaje de texto con los datos sobre el vuelo —dice Tricia, y agradezco a Raymond que le haya enseñado a utilizar esta tecnología—. Nos veremos esta tarde. Te llevaré a casa.

—Gracias —digo.

—¿Para qué estamos las madres?

Cuelgo y miro a Ben, que me observa perplejo, aunque sé que ha oído los dos lados de la conversación.

—¿A qué venía eso?

—En Las Vegas tomaré un vuelo a casa.

—¿Por qué?

—Para ti será más sencillo, más rápido, no tendrás que desviarte de tu camino. —El trayecto de aquí a Seattle pasa por la zona del este del estado de Washington donde resido, y ahora tendrá que conducir esos miles de kilómetros solo. Pero trato de ponérselo más fácil. Esa parte es verdad.

Durante la próxima hora ninguno de los dos despegamos los labios. Llegamos al aeropuerto de Las Vegas sobre el mediodía. Entro en la zona de carga y descarga, donde los coches están aparcados en doble fila. Detrás de nosotros suenan unos pitidos, hay un trasiego frenético de gente, como vaqueros conduciendo al ganado. Tomo mis cosas y Ben se baja por el lado del copiloto, observándome.

Me vuelvo hacia él, que se apoya contra el coche. Sé que tengo que decir algo. Darle las gracias. Liberarlo. Quizás el hecho de liberarlo sea la forma de darle las gracias. Pero antes de que pueda decir algo, él me pregunta:

—¿Qué diablos estás haciendo, Cody?

Me duele. Me duele mucho. Pero esto está mal. En muchos aspectos. De modo que le digo lo que le dije hace unos meses, aunque ahora lo digo en serio. Quizá sea lo mejor que puedas desearle a alguien.

—Que te vaya bien en la vida —digo.

Acto seguido cierro la puerta del coche de un portazo.

40

Tricia se reúne conmigo en la sala de recogida de equipaje como me prometió y me conduce al coche. En cuanto me abrocho el cinturón de seguridad, me ordena:

—Habla.

Curiosamente, lo que me preocupa no es la parte con Ben. Contar a Tricia que me largué a Nevada con un tipo a quien entregué mi virginidad me resulta fácil. Ella no parece complacida de oírlo, pero cuando se convence de que utilizamos protección y que la utilizamos como es debido y que no puedo quedarme embarazada, deja de preocuparse por ello.

—Pero ¿por qué fuiste a Laughlin? —me pregunta.

Esto es lo que temo contarle. Y no por la razón que yo pensaba, que es que se lo contará a todo bicho viviente, aunque es una posibilidad.

Tricia asistió conmigo a la mayoría de funerales por Meg. Lucía sus sugerentes vestidos negros y los ojos se le humedecían en los momentos oportunos. Pero apenas hemos hablado sobre su muerte. Sobre el hecho de que decidiera quitarse la vida. Mantuvimos tan sólo una conversación en mi habitación hace unas semanas. Está claro que no quiere hablar de ello, ni oír hablar del tema. Por más que diga que Meg y yo éramos distintas, creo que teme que en realidad no lo seamos.

Cuando por fin le hablo sobre Bradford y el foro de La Solución Final, no parece muy sorprendida.

—La señora Banks me dijo que estabas haciendo un trabajo muy intenso en el ordenador.

—¿La señora Banks? ¿Cuándo hablaste con ella?

—¿Quién crees que me ayudó a reservar tu billete de avión?

Así que Tricia ya ha estado hablando de mí en la ciudad. Pero no me importa. En absoluto. En realidad, es como tener una aliada.

—A propósito, ¿qué te ha parecido tu primer viaje en avión? —me pregunta.

Yo me había pasado todo el vuelo contemplando el reseco paisaje a mis pies, siguiendo la ruta que Ben y yo tomamos durante el viaje de ida y tratando de no pensar en él ni en su viaje de regreso solo.

—Estupendo.

Tomamos la I-90 y empiezo a hablarle de Bradford. Le explico que me presenté como señuelo. Que él era muy persuasivo, que creó una cámara de resonancia en mi cabeza. Se lo cuento todo, excepto el desvío hacia Truckee. No sé por qué. Quizá para no causarle dolor, pero no lo creo. Últimamente he perdido muchas cosas, y un padre..., bueno, no puedes perder lo que nunca has tenido.

Espero que Tricia estalle de furia, pero en lugar de ello, cuando le cuento algunas de las cosas que Bradford me escribió, me mira aterrorizada.

—¿Y fuiste a entrevistarte con él cara a cara? —me pregunta.

Yo asiento con la cabeza.

—No puedo creer... —Pero no termina la frase—. Me alegro de que estés bien.

—Yo también —respondo—. Lo siento. Fue una estupidez.

—Desde luego. —Tricia me acaricia la mejilla—. Pero fuiste muy valiente.

Yo esbozo una media sonrisa.

—Quizá.

Acelera y nos metemos en el carril rápido. Al cabo de un rato, dice:

—Tienes que contárselo a los García. Lo sabes, ¿verdad?

Y la tristeza y la culpa se disipan con la rapidez de un crepúsculo invernal.

—Les partirá el corazón.

—Ya tienen el corazón partido —responde Tricia—. Pero quizás eso contribuya a reparar el tuyo, y en estos momentos es lo que todos queremos.

Cuando regresamos a la ciudad, Tricia pasa de largo frente a nuestra casa, y aunque estoy hecha polvo y a punto de disolverme en un millón de pedazos, dejo que me lleve adonde me lleva.

—Tengo que ir a trabajar —dice, girando por el sendero de acceso a la casa de los García—. Nos veremos más tarde.

—Gracias —le digo, abrazándola sobre el cambio de marchas. Luego tomo mi carpeta con los documentos sobre Meg, Bradford y La Solución Final, y echo a andar hacia la puerta de entrada.

Scottie me abre.

—Hola, Runtmeyer —digo con dulzura.

—Hola, Cody —responde él. Parece avergonzado, o quizá complacido, al comprobar que vuelvo a llamarlo por su apodo—. Es Cody —dice, volviéndose hacia el interior de la casa.

Sue se acerca limpiándose las manos en el delantal.

—¡Cody! Por fin has venido a cenar. ¿Te preparo un plato?

—Quizá más tarde. Tengo que hablar con vosotros.

Su expresión cambia levemente.

—Pasa. Joe —dice, llamando a su marido—, ha venido Cody. Scottie, sube a jugar a tu habitación.

El chico me dirige una mirada cargada de significado y me encojo de hombros.

Joe y Sue entran en el comedor en penumbra, presidido por una elegante mesa de madera a la que nos sentábamos a cenar toda la familia. Ahora está llena de papeles y otros signos de desuso.

—¿De qué se trata, Cody? —me pregunta él.

—Debo contaros algo sobre Meg. Sobre su muerte.

Ambos asienten con la cabeza y se toman de la mano.

—Sé que se suicidó. No digo que no lo hiciera. Pero debéis saber que se había puesto en contacto con un grupo… —Empiezo a contárselo todo—. Se autodenominan un grupo de apoyo al suicidio, que animan a las personas que quieren suicidarse, y creo que fue por eso que Meg lo hizo.

Observo sus semblantes, imaginando el horror que se pintará en ellos, pero se muestran comprensivos, expectantes, esperando que yo continúe. De golpe caigo en la cuenta: esto no es una novedad para ellos.

—¿Lo sabíais?

—Sí —responde Sue, bajito—. Estaba en el informe de la policía.

—¿Ah, sí?

Ella asiente.

—Dijeron que explicaba cómo consiguió Meg el veneno. Es algo muy común en esos grupos.

—La Solución Final. —Joe prácticamente escupe las palabras—. Es como los nazis llamaban el Holocausto. Meg lo sabía. Me cuesta creer que se involucrara con un grupo de ese nombre.

—Joe. —Sue apoya la mano en el brazo de su marido.

—¿De modo que la policía encontró los archivos encriptados? ¿Saben lo de Bradford? —Estoy confundida. Bradford no parecía saber nada sobre la muerte de Meg.

Ahora son Joe y Sue quienes se muestran confundidos.

—¿Qué archivos?

—Los que había en el ordenador de Meg. En su papelera.

—No sabía nada de eso —dice Sue—. Sólo dijeron que encontraron pruebas de que Meg estaba involucrada con este grupo por su historial de búsqueda en Internet.

—¿Quién es ese Bradford? —pregunta Joe.

—Bradford Smith —respondo.

Ambos me miran perplejos.

—Forma parte de ese foro. Un momento, ¿no habéis dicho que la policía está enterada de esto?

—Nos dijeron que Meg se habría puesto en contacto con estos descerebrados que se ceban con personas vulnerables como ella, animándolas a suicidarse —dice Joe.

—Pero ¿no habías oído hablar de Bradford? —Ambos niegan con la cabeza—. ¿Bradford Smith? Forma parte de ese foro, se hace llamar All_BS. —Pero ninguno de los dos ha oído hablar de él—. Fue él quien la ayudó, quien la indujo a hacerlo. Era su mentor de la muerte. Él la convenció, le aconsejó cómo hacerlo.

Sue asiente con la cabeza.

—Ya sabemos cómo funcionan esos grupos.

—Pero no fue el grupo. Fue él.

—¿Cómo lo sabes, Cody? —pregunta Joe.

Retrocedo en mi relato y se lo explico. El archivo encriptado, que me condujo al foro de La Solución Final, que me condujo a Luciérnaga 2110, que me condujo a All_BS,

—Me pasé varias semanas entrando en ese foro, para tratar de que ese tipo diera la cara. Tardé un tiempo, pero lo conseguí, y luego logré que creyera que yo era como Meg, y le engañé hasta el punto de hacer que me llamara por teléfono. Fue muy cauto, me llamó a través de Skype con una tableta, pero pude rastrear la llamada y a partir de ahí averigüé dónde trabaja y dónde vive.

Los García siguen mirándome de hito en hito.

—¿Lo hiciste tú sola? —me pregunta Sue.

—No exactamente. Harry Kang, el ex compañero de residencia de Meg, se ocupó de los aspectos técnicos y otra persona me llevó en coche a Laughlin, para ver a Bradford...

—¿Fuiste a ver a ese hombre? —me interrumpe Joe.

—Es lo que trato de deciros. He regresado hace un rato.

—¡Cody! —Sue me reprende con el mismo tono que emplearía para reprendernos a Meg y a mí por haber regresado a casa demasiado tarde o por conducir a demasiada velocidad—. Era muy arriesgado.

Ambos me observan con gesto de padres preocupados. Y aunque he echado de menos esto, no quiero que me miren así. No quiero ser su hija. ¡Quiero ser su ángel vengador!

—¿No lo entendéis? ¡Este tipo es responsable de que Meg se suicidara! Ella no lo habría hecho de no haber sido por él.

—¿Él le dijo que se suicidara? —pregunta Joe—. ¿La ayudó a hacerlo?

—¡Sí! ¡Y trató de ayudarme a mí también! Mirad.

Abro mi carpeta para mostrarles las notas, los mensajes. Pero mientras leo lo que All_BS nos escribió a Meg y a mí, lo que veo es un montón de citas de otras personas. *Links* con otras páginas. Bradford procuró guardar las distancias. No dijo a Meg que utilizara veneno. No lo adquirió para ella. No me ofreció ningún consejo específico más allá de unos remedios contra el resfriado. Nunca me dijo directamente: *Debes suicidarte.*

No dije nada a nadie, le oigo decir. Casi se rió de mí cuando me preguntó qué consejo específico me había dado. Recuerdo que yo quería que me preguntara sobre el método que había elegido para quitarme de en medio, pero jamás lo hizo.

Pero eso no cambia nada. Sigue siendo responsable de lo ocurrido.

—Fue él —insisto—. Meg no se habría suicidado de no ser por él. Él es el motivo de que lo hiciera.

Joe y Sue cambian una mirada y luego me miran. A continuación ella me dice exactamente lo que Tree me dijo hace unas semanas, sólo que yo no lo oí. ¿Cuánto tiempo hace que no oigo lo que me dicen?

—Meg padecía una depresión, Cody —me explica—. Tuvo su primer episodio clínico en cuarto de secundaria. El año pasado tuvo otro.

Cuarto de secundaria, el año que pasó en la cama.

—¿Debido a la mononucleosis?

Sue asiente, pero luego mueve la cabeza en sentido negativo.

—No fue mononucleosis.

—¿Por qué? —pregunto—. ¿Por qué no me lo dijo?

Se lleva la mano al pecho.

—Llevo mucho tiempo luchando con esto, no sólo con la depresión, sino con el estigma de padecerlo en una ciudad pequeña, y no quería que ella pasara por lo mismo a los quince años. —Hace una pausa—. Para ser sincera, lo que no quería era que Meg padeciera una enfermedad que había heredado de mí. De modo que lo mantuvimos en secreto.

Joe baja la vista y la fija en la mesa.

—Pensamos que era lo mejor para ella.

—Como es natural, hicimos que tomara antidepresivos —dice Sue—. Y mejoró mucho. Tanto que cuando se graduó en el instituto decidió dejar de tomarlos. Tratamos de disuadirla. Conozco bien la depresión, no es algo que contraes una vez y luego desaparece.

Los estados de ánimo de Sue. Los olores de la casa. *Depresión. ¿En eso consiste?*

—Comprendimos que las cosas no iban bien en cuanto Meg se trasladó allí —dice Joe—. Se pasaba casi todo el día durmiendo, no asistía a clase.

—Tratamos de ayudarla a superarlo —dice Sue—. Pensamos que lo mejor era que dejara los estudios durante un curso. Hablamos con ella, discutimos durante todas las vacaciones de invierno tratando de convencerla.

—Por eso no te invitamos a que nos acompañaras —dice Joe.

Las vacaciones de invierno. *Mi familia me saca de quicio.*

—Decidimos forzar el tema si ella no hacía nada al respecto. Traerla a casa si era necesario, aunque ello significara que perdiera la beca. Pero luego, en Año Nuevo, su estado pareció mejorar. Aunque no fue así. Estaba planeando su huida.

—No lo sabía —digo.

—Ninguno de nosotros lo sabíamos —dice Sue, rompiendo a llorar.

Era mi mejor amiga. Si yo hubiera estado allí con ella, durante las vacaciones de invierno, o el año escolar, lo habría sabido. Lo de su depresión, lo mal que se sentía. Quizás habría sido diferente. Quizás ella estaría aún aquí.

—*No lo sabía* —repito, pero esta vez suena como un gemido angustioso. Mi dolor estalla como un aneurisma, salpicándolo todo de sangre.

Él y Sue observan mientras me desangro, y es como si por fin lo comprendieran.

Él me toma la mano mientras ella dice unas palabras que hace tiempo que anhelo escuchar.

—Ay, cariño, no, no, no. Tú no. No es culpa tuya.

—Iba a mudarme a Seattle —digo entre sollozos—. Íbamos a pasarlo estupendamente juntas, pero... —No sé cómo terminar— No disponía del dinero necesario. Me asusté. Me quedé bloqueada. Ella se fue. Y yo me quedé.

—¡No! —dice Joe—. No es eso. Tú significabas mucho para ella. Eras la roca a la que se aferraba aquí.

—Eso es justamente de lo que me culpo. ¿No lo entendéis? —exclamo—. Cuando se marchó, yo me enfadé. Estaba enfadada conmigo misma, pero lo pagué con ella. No estuve allí para apoyarla. De haberlo estado, ella habría acudido a mí, en lugar de a él.

—No, Cody —dice Sue—. No lo habría hecho.

Su voz tiene un tono tajante y devastador. *No lo habría hecho.* Meg lo habría guardado en secreto, como hacía siempre.

Joe se aclara la garganta para reprimir las lágrimas.

—Comprendo que fueras a enfrentarte con ese tipo, Cody. Porque si ese tal Bradford hizo lo que hizo, significaría que la asesinó otra persona. Una persona que no era ella. Entonces quizá podríamos llorar su muerte con el corazón destrozado y libre de culpa.

Levanto la vista y lo miro. ¡Dios, la echo tanto de menos! Pero estoy furiosa con ella. Y si no puedo perdonarla, ¿cómo voy a perdonarme a mí?

—Pero si Meg no hubiera estado enferma, ese hombre no la habría hostigado —apunta Sue, mirando a Joe con gesto implorante—. No habría tenido ningún poder sobre ella. Mira a Cody. Entró en ese foro, tuvo contacto con él. Nosotros sólo leímos los mensajes. —Sue se vuelve hacia mí—. Y tú sigues aquí.

¡No! No lo comprenden. La forma en que Bradford se introduce en tu mente, jugando contigo, descubriendo todos tus puntos débiles. Pudo haberme destruido también a mí.

Pero luego miro a mi alrededor. Estoy sentada a la mesa del comedor donde compartí tantas comidas con ellos a lo largo de los años. Meg ya no existe. Los últimos meses han sido un infierno. Pero Sue tiene razón. Yo sigo aquí.

La carpeta está abierta, las páginas extendidas sobre la mesa. Todo por lo que sufrí por conseguir esto, la trampa en la que me metí con Bradford… Yo creía que era una prueba de su fuerza. Pero quizá fuera una prueba que ha demostrado la mía.

Yo sigo aquí.

Guardo las páginas de nuevo en la carpeta y se la paso a Joe.

—Creo que debo poner fin a esto —digo—. Vosotros podéis hacer lo que creáis oportuno.

Él toma la carpeta de mis manos.

—Mañana por la mañana la llevaremos a la policía.

Se produce un momento de silencio. Luego Sue dice:

—Y, Cody… —Pero su tono no me atemoriza como antes—. Gracias —concluye.

Luego ella y Joe se levantan de sus asientos y me abrazan con fuerza, y los tres rompemos a llorar. Permanecemos así largo rato, hasta que Sue dice:

—Estás hecha un saco de huesos. Por favor, Cody, deja que te dé de cenar.

Me reclino en la silla tapizada. No tengo hambre, pero acepto. Sue se dirige a la cocina, pero Joe se queda conmigo.

—Debiste decírnoslo —dice, señalando la carpeta.

—Vosotros también debisteis decírmelo —contesto.

Él asiente.

—Y deberíais decírselo a Scottie. Él ya lo sabe. No conoce los detalles, pero sospecha que alguien ayudó a Meg. Fue él quien me dio la pista.

Joe se acaricia el mentón, asombrado.

—Los críos lo averiguan todo. Por más que trates de protegerlos. —Suspira—. Hemos empezado a hablar con familias de otras víctimas de suicidio. Hablamos de ello abiertamente. Es lo único que nos ayuda. —Toma mi mano y la aprieta con tanta fuerza que el metal de su alianza deja una huella impresa en mi piel—. Hablaré con Scottie —me promete.

Sue regresa de la cocina y deposita un plato lleno frente a mí. Es estofado.

Pruebo un bocado.

—Es un estofado casero —me explica Sue. Luego sonríe. Es la sonrisa más débil que la he visto esbozar, pero es una sonrisa.

Como otro bocado de estofado. Y compruebo que tengo más apetito de lo que creía.

41

Esa noche me quedo dormida a las nueve, todavía vestida, y cuando me despierto a la mañana siguiente a las cinco, veo a Tricia sentada a la mesa de la cocina, dormida. Le toco suavemente la muñeca.

—¿Acabas de regresar a casa? —pregunto.

Ella se encoge de hombros, con los ojos legañosos y aturdida.

—¿Me esperabas despierta?

Ella vuelve a encogerse de hombros.

—Más o menos.

—Vete a la cama. Estoy bien.

—¿De veras? —Tricia bosteza—. ¿Cómo te fue con Joe y Sue?

—Bien. Te lo contaré más tarde, cuando estés semiconsciente.

—Semiconsciente —repite ella. Pero luego se pone seria—. ¿Seguro que estás bien?

Asiento con la cabeza.

—Sí. —Hace tiempo que vengo diciéndolo, pero ahora sé que es verdad.

—Dentro de unas horas iremos a desayunar. ¿Te parece bien el restaurante?

—Me parece estupendo.

Tricia sube a acostarse. Yo saco las cosas de mi bolsa y coloco mis prendas sucias en una pila. Hoy tendré que ir a la lavandería, o quizá le pida a la señora Chandler que me deje hacer la colada en su casa el próximo día que vaya a limpiar. Las personas se han mostrado muy generosas cuando les he pedido un favor. Preparo la cafetera y salgo al porche mientras se hace el café.

Está amaneciendo. Las primeras luces tiñen las colinas de rosa, aunque el suelo todavía está cubierto con una capa de bruma. Prácticamente no se ve un alma en la calle a estas horas, salvo la camioneta del chico de los periódicos.

A lo lejos oigo otro coche; el sonido del motor me resulta familiar, aunque no es el Explorer de los García, y el viejo Camry de Tricia está aparcado frente a nuestra casa. Veo su borrosa silueta circulando por la siguiente manzana y me quedo patidifusa. No. Es imposible.

Luego gira y desciende por la próxima manzana, lentamente, como si se hubiera extraviado. Me levanto del asiento en el porche y me encamino hacia la calle. El coche se para de golpe. Se queda allí parado, en medio de la calle, con el motor en marcha, antes de hacer marcha atrás y enfilar mi calle, deteniéndose junto al bordillo donde estoy yo.

Ben tiene un aspecto desastroso. Lleva barba de un día y tiene unas ojeras que indican Dios sabe cuántas noches sin dormir. Quizá su aspecto se fue deteriorando durante el viaje y no me percaté porque sucedió de forma progresiva, pero el Ben que se baja del coche no tiene nada que ver con el guaperas chulesco que vi hace unos meses en el escenario.

—¿Qué haces aquí? —le pregunto.

—¿Tú qué crees? —contesta. Su tono es tan desesperado que me parte el corazón—. ¿Que te vaya bien en la vida?

—¿Cómo has llegado hasta aquí? Es un viaje de veinticuatro horas en coche. —Calculo el tiempo que hace que lo dejé ayer en Las Vegas: algo más de diecisiete horas.

—Son veinticuatro si te paras.

Eso lo explica. Conducir toda la noche solo hace que envejezcas un año en un día.

—¿Cómo has dado conmigo?

Ben se frota los ojos con las palmas de las manos.

—Meg me dijo dónde vivías. Es una ciudad muy pequeña. —Hace una pausa—. Siempre he sabido cómo dar contigo, Cody.

—Ah.

Está hecho polvo. Quiero invitarle a entrar en casa, hacer que se tumbe en mi cama, cubrirlo con las sábanas y tocarle los párpados antes de que los cierre y se quede dormido.

—¿Por qué huiste de esa forma?

No sé qué decirle. Me sentía feliz. Me sentía asustada. Me sentía abrumada. Me llevo las manos al corazón, confiando en que eso lo explique.

Nos miramos unos instantes en silencio.

—Fui a ver a los padres de Meg —digo por fin—. Les hablé de Bradford. Al parecer, la policía ya les había contado que Meg se había puesto en contacto con la gente de La Solución Final.

Ben tiene los ojos semicerrados, pero los abre del todo, sorprendido.

—También me dijeron que Meg estaba deprimida. Tuvo un grave episodio depresivo cuando iba a cuarto del que yo no me percaté, aunque estaba allí y era su mejor amiga. Y tuvo otro cuando se mudó a Tacoma. Antes de conocerte a ti. —Lo miro. Sus ojos, como la piel debajo de ellos, muestran un aspecto violáceo y dolido—. Así que, al parecer, tú no tuviste la culpa. Y yo tampoco. —Trato de decir esto último con tono despreocupado, pero se me rompe la voz.

—Jamás pensé que tú tuvieras la culpa —responde Ben en voz baja—. Y comprendí que yo tampoco la tenía.

—Pero me dijiste que su muerte te pesaba en la conciencia.

—Así es. Siempre me pesará. Pero no creo que yo fuera la causa. Además… —No termina la frase.

—¿Qué?

—Pienso que si hubiera sido culpa mía no habrías aparecido en mi vida.

Los ojos se me llenan de lágrimas.

—Estoy enamorado de ti, Cody. Sé que todo esto es complicado, confuso y difícil. La muerte de Meg fue una tragedia y una pérdida irreparable, pero no quiero perderte por haberte conocido en unas circunstancias tan difíciles.

Rompo a llorar.

—Maldito seas, Ben McCallister. No conozco a nadie que me haga llorar con tanta frecuencia como tú —digo, avanzando un paso hacia él.

—Yo también eché unas lagrimitas anoche —responde, acercándose a mí.

Ya me lo imagino. Casi dos mil kilómetros es una tirada muy larga sin un iPod.

—Ya. Echaba de menos la música. —Ben avanza otro paso hacia mí—. No debí dejar que te marcharas. Debí decirte algo ayer, pero era demasiado intenso para mí, y me dabas miedo, Cody. Me das mucho miedo.

—Eso es porque eres un capullo urbanita —contesto—. Los capullos urbanitas siempre tienen miedo.

—Eso me han dicho.

—Tú también me das miedo.

Me dispongo a abrazarle. Y como siempre que estoy con Ben McCallister, lo que siento es justo lo contrario a miedo.

Nos abrazamos bajo las primeras luces de la mañana. Él me aparta un mechón de pelo de los ojos y me besa en la sien.

—En estos momentos me siento bastante frágil —le advierto—. Es como si todo se me viniera encima de golpe.

Ben asiente con la cabeza. Tiene la misma sensación.

—Y esto podría ser complicado. Complicado, confuso y difícil, como acabas de decir.

—Lo sé —responde—. Tendremos que capear el temporal como podamos, vaquera.

—Capear el temporal —repito. Apoyo la cabeza en su pecho. Todo su cuerpo tiembla.

—¿Quieres entrar? —le pregunto—. ¿Dormir un rato?

Ben menea la cabeza en sentido negativo.

—Más tarde.

Ha salido el sol, y la bruma matutina se ha disipado.

—Ven —digo, tomándolo de la mano.

—¿Adónde vamos?

—A dar un paseo. Quiero enseñarte la ciudad. En el parque hay un estrafalario cohete espacial desde el que se ve hasta el infinito.

Entrelazo los dedos con los suyos y echamos a andar. Hacia mi pasado. Hacia mi futuro.

Epílogo

Un año después de su muerte, enterramos a Meg.

Vamos a asistir a una última ceremonia en su nombre. En esta no habrá velas, ni cantaremos «Amazing Grace», ni siquiera habrá un oficio religioso. Pero Meg estará presente. Joe y Sue mandaron incinerar sus restos, y sus cenizas serán diseminadas en varios lugares que ella amaba. Los García lograron que les cedieran una tumba en el cementerio católico, siempre y cuando no hubiera un cadáver.

Hoy nos desprenderemos de una parte de ella en las colinas de Pioneer Park. Los amigos que tenía en la ciudad estarán presentes, junto con algunos de Seattle, y, por supuesto, sus amigos de Cascades.

Alice vino a recogerme a la residencia universitaria y partimos anoche en su coche, y Tricia me recibió en casa como si me hubiera ausentado dos años, en lugar de dos meses. Desde que estoy en la universidad, me envía un mensaje de texto prácticamente todos los días. (Raymond ha pasado a la historia, pero su legado tecnológico permanece.) Tricia parece alegrarse de que yo diera el paso y solicitara (suplicara) que me admitieran a mitad de curso en la Universidad de Washington.

—No obtendré ninguna beca, y probablemente pocas subvenciones. Tendré que pedir un préstamo —le dije.

—Las dos pediremos un préstamo —respondió ella—. Hay cosas peores que tener que devolver una deuda.

Alice no sabe qué ponerse, se arrepiente de no haber traído nada de color negro, por más que le aseguro que no es una ceremonia solemne. Todos estamos cansados de vestir de negro. Incluso Tricia se ha comprado un vestido de color turquesa en las rebajas.

—¿Qué te vas a poner?

—Seguramente unos vaqueros.

—¡No puedes ir en vaqueros!

—¿Por qué?

Alice no sabe qué responder.

—¿Cuándo llegarán los demás?

—Richard llegó anoche. Ben salió a primera hora de esta mañana. Se reunirá con nosotros en el parque. Dijo que Harry vendría con él en el coche.

—Hace tiempo que no veo a Harry. Está haciendo prácticas en Microsoft, de modo que no se pasa nunca por el campus.

—Lo sé. Hablé con él la semana pasada.

Harry me llamó para informarme de que, debido a la polvareda que se había organizado, el foro de La Solución Final había cerrado. Era una cosa positiva que yo había conseguido en este penoso asunto. La policía había interrogado a Bradford Smith y habían requisado su ordenador. Yo disfruté imaginando su expresión de indignación, que habría dado paso al temor cuando la policía había llamado a su puerta y se habían llevado sus archivos. Debió suponer que yo estaba detrás de esto, el planeta sin sol al que resultó que aún le quedaba luz.

Pero nadie presentó cargos contra él. Bradford había sido extremadamente cauto, no había violado ninguna ley. Había utilizado las palabras de otras personas, *links* a páginas web anónimas. No había suficientes pruebas para incriminarlo.

Antes de que cerraran el foro, yo había entrado alguna vez para comprobar si All_BS seguía allí, pero no había rastro de él. Quizás había cambiado su nombre de usuario, o se había incorporado a otro grupo, aunque no era probable. Al menos de momento, había conseguido silenciarlo.

Joe y Sue consultaron con unos abogados que les dijeron que era posible que yo hubiera reunido suficientes pruebas para interponer una querella civil contra él. Se lo están pensando, pero Sue dice que no tiene ánimos para afrontar una lucha en los tribunales. No conseguirá devolverle la vida a Meg, y en estos momentos dice que no necesitamos venganza, sino perdón. Últimamente he pensado mucho en el sermón de Jerry. Creo que Sue tiene razón. Aunque no es a Bradford Smith a quien ninguno de nosotros debemos perdonar.

Tricia se acerca a la puerta de mi habitación, luciendo el nuevo vestido con el que se helará y unos zapatos de tacón que se mancharán de barro en los senderos del parque. Está guapa. Mira a Alice, me mira a mí y mira la foto de Meg, en la que aparecemos ella y yo en el rodeo, de niñas, que he dejado en mi pared.

—Vamos allá —dice.

Subimos por los senderos de Pioneer Park hasta llegar a un pequeño claro en el bosque. A lo lejos oigo ladrar a *Samson*. Al doblar la esquina, veo a Joe y a Sue hablando con personas que han conocido en el grupo de supervivientes del suicidio. Los músicos de Seattle están afinando sus instrumentos. Scottie juega a Hacky Sack con Richard y Harry. Sharon Devonne y otras chicas que Meg conocía del colegio están charlando con la señora Banks y su marido. Alexis y su novio, Ryan, que ha regresado de Afganistán, están con su hijita, Felicity, sosteniendo ambos una mano de la niña. Me sorprende ver aquí a Tammy Henthoff, sola. Me mira y nos saludamos con un gesto de la cabeza.

Ben está un poco alejado de los demás, contemplando el cohete espacial a los pies de la colina. Yo lo contemplo también, y ambos nos volvemos al mismo tiempo y nos miramos. Me parece increíble que dos personas puedan comunicar tantas cosas con una mirada, pero así es. *Complicado, confuso y difícil* es una buena forma de describirlo. Pero quizás el amor es así.

¿Estás preparada?, me pregunta moviendo los labios en silencio.

Asiento con la cabeza. Estoy preparada. Dentro de unos minutos los músicos se agruparán y tocarán la canción de Bishop Allen sobre luciérnagas y perdón y yo pronunciaré un panegírico sobre mi amiga y esparciremos una parte de sus cenizas. Luego bajaremos la colina, pasaremos junto al cohete espacial y nos dirigiremos al cementerio, para visitar su tumba, donde una lápida dice:

Megan Luisa García

YO ESTUVE AQUÍ

Nota de la autora

Hace muchos años escribí un artículo sobre el suicidio en el que entrevisté a amigos y familiares de mujeres jóvenes que se habían quitado la vida. Fue entonces cuando «conocí» a Suzy Gonzales, aunque en realidad no la conocí porque había muerto hacía varios años. Al escuchar a sus amigos y parientes hablar de Suzy, olvidé que iba a escribir un artículo sobre el suicidio. El retrato que pintaron era el de una joven de diecinueve años inteligente, creativa, carismática, inconformista, el tipo de chica que pude haber entrevistado porque iba a publicar su primera novela, o su primer álbum de canciones, o iba a dirigir una película *indi* de lo más guay. A primera vista, Suzy no me pareció —ni tampoco a las personas a las que entrevisté— alguien capaz de suicidarse.

Excepto por un detalle: al igual que las otras jóvenes sobre las que había escrito en ese artículo, Suzy padecía una depresión. Cuando empezó a pensar en el suicidio, pidió ayuda, acudió al centro de salud de su universidad, pero en última instancia depositó su confianza en un grupo de «apoyo» al suicidio, cuyos miembros aplaudieron su iniciativa de quitarse la vida y le aconsejaron cómo hacerlo.

Nunca dejé de pensar en Suzy, en el artículo que pude haber escrito sobre ella, el libro que pudo haber escrito, la banda musical que pudo haber liderado, la película que pudo haber dirigido, de haber recibido el tratamiento adecuado para una depresión que le había causado tanto sufrimiento que pensó que la única solución era poner fin a su vida.

Al cabo de más de una década, Suzy fue la chispa de inspiración para el personaje de ficción llamado Meg. Y Meg trajo a Cody, el personaje central de *Yo estuve aquí.* Cody es una joven a quien la muerte de su mejor amiga ha dejado hundida, que sufre y está llena de tristeza, ira, remordimientos y preguntas para las que nunca obtendrá respuesta. Cody y Meg son personajes de ficción, pero ello no impide que me haga esta pregunta: de haber sabido Meg el dolor que su suicidio iba a causar a su mejor amiga, a su familia, ¿lo habría hecho? ¿Acaso, en los momentos más negros de su depresión, pudo haber imaginado las repercusiones que tendría su decisión?

Según la Fundación Americana para la Prevención del Suicidio, los estudios indican de forma concluyente que la abrumadora mayoría de personas que se quitan la vida —más del noventa por ciento— padecen un trastorno mental en el momento de su muerte. Entre las personas que mueren a causa del suicidio, el trastorno más frecuente es la depresión, aunque el trastorno bipolar y el consumo de drogas constituyen también factores de riesgo. A menudo, en los casos de víctimas del suicidio, esas enfermedades no habían sido diagnosticadas o no habían recibido el tratamiento médico adecuado.

Observen que las llamo *enfermedades.* Al igual que la neumonía es una enfermedad. Pero en el caso de los trastornos mentales, el tema es peliagudo, porque «está en tu cabeza». Pero no es así. Los investigadores han demostrado un vínculo entre el riesgo de suicidio y las alteraciones en las sustancias químicas del cerebro llamadas neurotransmisores, como la serotonina. Esta condición fisiológica provoca una reacción mental (y física) que puede hacer que uno se sienta muy mal, y, al igual que la neumonía, si no recibe tratamiento, en los casos extremos puede llevar a la muerte.

Por fortuna, existen tratamientos, por lo general una combinación de fármacos que estabilizan el estado de ánimo y terapia. Negarse a recibir tratamiento para una depresión o una alteración mental equivale a que el médico diagnostique una neumonía y el paciente se niegue a tomar antibióticos y a guardar cama durante un tiempo. ¿Y hacer lo que hicieron Meg y Suzy? Eso equivale a que el médico diagnostique que padeces neumonía y te conectes *online* para pedir ayuda a gente que te aconseja que fumes una cajetilla de cigarrillos al día y salgas a correr bajo la lluvia. ¿Quién haría caso de semejantes consejos?

No todo el mundo que padece una depresión tiene pensamientos suicidas. La gran mayoría de personas no los tiene. Y no todo el mundo que piensa en la posibilidad de la muerte se suicida. Cuando Richard dice: «Todos hemos pasado por esto», creo que tiene razón. Creo que todo el mundo tenemos días o semanas en que nos sentimos tan mal que imaginamos la posibilidad de dejar de existir. Esto es muy distinto a tener pensamientos suicidas, a que esos pensamientos se concreten en planes, a que esos planes se concreten en intentos. (Para una lista de señales de alarma y factores de riesgo, podéis visitar: http:/www.afsp.org/understanding-suicide/warning-signs-and-risk-factors.)

Al igual que Cody, al igual que Richard, yo he pasado por eso. He tenido mis días. Pero nunca he pensado seriamente en suicidarme. Lo cual no significa que mi vida no se haya visto afectada por ello. Alguien muy cercano a mí intentó hace tiempo suicidarse. Esa persona recibió ayuda, y ha gozado de una vida larga y feliz. Si el suicidio es una puerta corredera de «lo-que-pudo-ser», en el caso de Suzy y de Meg veo los fantasmas de las vidas que no llegaron a vivir, y en este otro caso, veo la otra cara de la moneda: una vida plena y feliz que pudo no haber existido.

La vida puede ser dura, hermosa y complicada, pero, con suerte, será larga. Si lo es, comprobarás que es impredecible, y que hay épocas sombrías, pero estas remiten —a veces con mucho apoyo— y el túnel se ensancha, permitiendo que el sol penetre de nuevo en él. Si sientes que estás en la oscuridad, quizá tengas la sensación de que siempre estarás allí. Avanzando a tientas. Sola o solo. Pero no es así. Hay personas que pueden ayudarte a encontrar la luz. Esta es la forma de encontrarlas.

Si sufres y necesitas ayuda, el primer paso es contárselo a alguien. A tu padre o a tu madre, a un hermano o hermana mayor, a una tía o un tío, acudir a cualquier adulto en quien confíes: un sacerdote, la orientadora del colegio, un médico, una enfermera, un amigo de la familia. Este es el primer paso, pero no el último. No basta con contárselo a alguien. Cuando lo hayas hecho, esa persona puede ayudarte a buscar la ayuda profesional y el apoyo que necesitas.

Agradecimientos

Este es el apartado donde los escritores suelen dar las gracias a todas las personas que les han ayudado a crear un libro. Pero hay una diferencia entre dar las gracias —una muestra de gratitud— y reconocer una aportación. Así pues, en esta ocasión no sólo deseo dar las gracias, sino expresar mi reconocimiento a la aportación de las personas responsables de que *Yo estuve aquí* viera la luz.

Mi reconocimiento a Michael Bourret por su apoyo, sinceridad y amistad, que me impulsan a ser valiente y desear ser más valiente.

Mi reconocimiento a todo el equipo de Penguin Young Readers Group. Este es nuestro quinto libro, y séptimo año juntos. A estas alturas es casi como un matrimonio, si bien con varias esposas hermanas (y algunos maridos): Erin Berger, Nancy Brennan, Danielle Calotta, Kristin Gilson, Anna Jarzab, Eileen Kreit, Jen Loja, Elyse Marshall, Janet Pascal, Emily Romero, Leila Sales, Kaitlin Severini, Alex Ulyett, Don Weisberg, y, por último, pero no por ello menos importante, mi editor y amigo, el maravilloso Ken Wright.

Mi reconocimiento a Tamara Glenny, Marjorie Ingall, Stephanie Perkins, y Maggie Stiefvater, por leer los borradores en momentos críticos y ofrecerme sus sabios, inteligentes y detallados consejos.

Mi reconocimiento a mis amigos de Brooklyn Lady Writer™, con quienes trabajo, bebo (principalmente café), hago planes y sueño:

Libba Bray, E. Lockhart, y Robin Wasserman. Me quito el sombrero ante Sandy London, aunque él no es ninguna dama, y ante Rainbow Rowell, Nova Ren Suma, y Margaret Stohl, aunque no son Brooklyn.

Mi reconocimiento a mis amigos no escritores de Brooklyn, quienes me ayudan a no perder los papeles: Ann Marie, Brian y Mary Clarke, Kathy Kline, Isabel Kyriacou, y Cameron y Jackie Wilson.

Mi reconocimiento a Jonathan Steuer por ayudarme a dar la impresión de que poseo ciertos conocimientos sobre informática.

Mi reconocimiento a Justin Rice, Christian Rudder y Corin Tucker por inspirarme con su música y, de nuevo, por su generosidad.

Mi reconocimiento a Lauren Abramo, Deb Shapiro, y Dana Spector por hacer que mi obra llegue a un amplio número de personas.

Mi reconocimiento a Tori Hill por ser un mágico duende nocturno que hace que las cosas se lleven a cabo.

Mi reconocimiento a la extensa comunidad de la literatura juvenil: autores, bibliotecarios y libreros. Para citar al gran Lorde: «Todos formamos parte del equipo del otro».

Mi reconocimiento a Mike y Mary Gonzales por su amabilidad y generosidad.

Mi reconocimiento a Suzy Gonzales, la chispa que inspiró este libro. Habría preferido conocerla a ella, no al personaje que he inventado gracias a ella. Sus padres me contaron que cuando vivía siempre trataba de ayudar a la gente. Quizá lo haga también desde el más allá.

Mi reconocimiento a todas las mujeres y todos los hombres que han luchado contra la depresión, los trastornos del estado de ánimo, la enfermedad mental y el suicidio, y han hallado la forma de superarlos y, mejor aún, de seguir adelante.

Mi reconocimiento a todos los hombres y todas las mujeres que han luchado contra la depresión, los trastornos del estado de ánimo, la enfermedad mental y el suicidio, que no han hallado la forma de superarlos y han sucumbido.

Mi reconocimiento a la Fundación Americana para la Prevención del Suicidio (www.afsp.org) por inclinar la balanza en favor de la vida y ayudarnos a comprender mejor este complicado trastorno.

Mi reconocimiento a mis padres, hermanos, parientes políticos, sobrinas y sobrinos por sus numerosas y variadas formas de apoyo.

Mi reconocimiento a Willa y Denbele por su fuerza y su cariño.

Mi reconocimiento a Nick, por estar aquí, conmigo.

PUCK

AVALON

Libros de *fantasy* y *paranormal* para jóvenes, con los que descubrir nuevos mundos y universos.

LATIDOS

Los libros de esta colección desprenden amor y romance. Ideales para los lectores más románticos.

LILLIPUT

La colección para niños y niñas de 9 a 14 años, con historias llenas de aventuras para disfrutar de verdad de la lectura.

SERENDIPIA

Una serendipia es un hallazgo inesperado y esto es lo que son los libros de esta colección: pequeños tesoros en forma de historias contemporáneas para jóvenes.

SINGULAR

Libros *crossover* que cuentan historias que no entienden de edades y que pueden disfrutar tanto un niño como un adulto.

¿Cuál es tu colección?

Encuentra tu libro Puck en:

www.mundopuck.com

puck_ed

mundopuck